coleção Olhar Arquitetônico

David Libeskind Ensaio sobre as residências unifamiliares   coleção Olhar Arquitetônico

UNIVERSIDADE DE SÃO PAULO

Reitora   Suely Vilela
Vice-reitor   Franco Maria Lajolo

EDITORA DA UNIVERSIDADE DE SÃO PAULO

Diretor-presidente   Plinio Martins Filho

COMISSÃO EDITORIAL

Presidente   José Mindlin
Vice-presidente   Carlos Alberto Barbosa Dantas
     Benjamin Abdala Júnior
     Carlos Augusto Monteiro
     Maria Arminda do Nascimento Arruda
     Nélio Marco Vincenzo Bizzo
     Ricardo Toledo Silva

Diretora Editorial   Silvana Biral
Diretora Comercial   Ivete Silva
Diretor Administrativo   Peter Greiner
Editoras-Assistentes   Marilena Vizentin
     Carla Fernanda Fontana
     Mônica Cristina Guimarães dos Santos

Luciana Tombi Brasil   **David Libeskind** Ensaio sobre as residências unifamiliares

David Libeskind – **ensaio sobre as residências unifamiliares**
Luciana Tombi Brasil

Projeto gráfico da coleção **Carlito Carvalhosa e Mayumi Okuyama**
Capa **Carlito Carvalhosa**
Diagramação **estação**
Desenhos técnicos **Luciana Tombi Brasil e Ivana Barossi Garcia**
Pré-produção **Ivana Barossi Garcia e Marina Rosenfeld Sznelwar**
Tratamento de imagens **Bruno Borovac**
Preparação e revisão de texto **candombá**
Produção gráfica **Regina Garjulli**
Gráfica **Photon**
Coordenação editorial **Abilio Guerra e Silvana Romano Santos**

Dados Internacionais de Catalogação na Publicação (CIP)
(Câmara Brasileira do Livro, SP, Brasil)

Brasil, Luciana Tombi
 A obra de David Libeskind - ensaio sobre as residências unifamiliares / Luciana Tombi Brasil; apresentação de David Libeskind; prefácio de Luis Antonio Jorge - São Paulo : Romano Guerra Editora / Edusp, 2007.
 160 p.: il. (Coleção Olhar Arquitetônico, 2)

 Bibliografia.
 ISBN 85-88585-04-9 (Obra completa)
 ISBN 978-85-88585-13-3 (v. 2)
 ISBN 978-85-314-1019-2 (Edusp)

 1. Arquitetura Moderna - Século 20 - Brasil 2. Edifícios residenciais 3. Libeskind, David, 1928 - I. Libeskind, David, apres. II. Jorge, Luis Antonio, pref. III.Título

 22ª CDD : 724.981
Serviço de Biblioteca e Informação da Faculdade de Arquitetura e Urbanismo da USP

A reprodução ou duplicação integral ou parcial desta obra sem autorização expressa do autor e dos editores se configura como apropriação indevida dos direitos intelectuais e patrimoniais do autor.

© Luciana Tombi Brasil

Direitos para esta edição

Romano Guerra Editora
Rua General Jardim 645 conj 31 – Vila Buarque
01223-011 São Paulo SP Brasil
Tel.: (11) 3255.9535 / 3255.9560
E-mail: rg@romanoguerra.com.br
Website: www.romanoguerra.com.br

Edusp – Editora da Universidade de São Paulo
Av. Prof. Luciano Gualberto, Travessa J, 374, 6º andar
Edifício da Antiga Reitoria - Cidade Universitária
05508-900 São Paulo SP Brasil
Divisão Comercial: Tel. (11) 3091.4008 / 3091.4150
SAC: (11) 3091-2911 - Fax (11) 3091.4151
E-mail: edusp@usp.br
Website: www.edusp.com.br

Printed in Brazil 2007

Foi feito o depósito legal

Para meus pais

Apresentação **David Libeskind** 13   Prefácio **Luis Antonio Jorge** 17

21 Introdução
22 Capítulo 1 **Belo Horizonte: cenas de um arquiteto quando jovem**
32 Capítulo 2 **São Paulo: amadurecimento intelectual de um arquiteto migrante**
62 Capítulo 3 **Obras e projetos de David Libeskind**
118 Capítulo 4 **Análise de 12 residências: categorias dos diagramas de análise comparativa**
134 Conclusão

Bibliografia 140   **Agradecimentos** 146   **Cronologia** 148   **Lista de obras** 154   **Fontes das imagens** 160

Apresentação David Libeskind

Há uns 15 anos fui surpreendido pela doença de Parkinson. Os sintomas foram aparecendo aos poucos, seqüestrando a minha capacidade de projetar. Fiz de tudo para superar o problema, mas não consegui. Tentei a pintura, mas não foi possível. O que fazer? Quase todas as horas do meu dia eram voltadas para amenizar os sintomas da doença, consultando médicos e fazendo fisioterapia. Mas ainda sobrava algum tempo. O que fazer?

Um belo dia, para a minha surpresa e felicidade, apareceu em meu escritório uma jovem que estava se formando em arquitetura. Precisava apresentar o seu trabalho de graduação interdisciplinar na Universidade Mackenzie, cujo tema era de escolha livre e pessoal. Ela optou por minha obra como assunto de sua monografia – ao qual deu o título de *David Libeskind – pesquisa de sua obra* – e me pediu que lhe fornecesse material para desenvolver seu trabalho. Seu nome é Suzana Glogowski.

Aceitei na hora minha nova incumbência e me pus a trabalhar. Este fato aconteceu por volta de 1997. O meu arquivo, com uma quantidade imensa de informações que eu havia acumulado desde os tempos de estudante, estava completamente desorganizado na época. Com ajuda da aluna, coloquei boa parte dele em ordem. Suzana, orientada pela professora Mônica Junqueira Camargo, saiu em busca das coisas que faltavam, conseguindo documentar mais algumas obras, ausentes do acervo. O prazo que tinha para sua realização era muito curto, mas a aluna conseguiu fazer um bom trabalho. Mesmo incompleto, com ausência de muitos projetos, foi um levantamento muito importante, pois serviu de base para futuras dissertações e teses relacionadas com a minha obra. A maioria de meus projetos foi publicada em importantes revistas de arquitetura do Brasil e exterior, mas foi Suzana quem reuniu o maior número de meus projetos até então, despertando a atenção de outros pesquisadores.

Desde então colaborei com trabalhos acadêmicos de vários colegas, dentre eles os arquitetos Denise Xavier de Mendonça (*Arquitetura metropolitana, São Paulo década de 1950. Análise de quatro edifícios: Copan, sede do jornal* O Estado de S. Paulo, *Edifício Itália e Conjunto Nacional*, dissertação de mestrado, orientação de Carlos Alberto Ferreira Martins, EESC-USP, 1999),

Sandra Maria Alaga Pini (*Arquitetura comercial e contexto. Um estudo de caso: o Conjunto Nacional*, dissertação de mestrado, orientação de Heliana Comin Vargas, FAUUSP, 2000), Mário Arturo Figueroa Rosales (*Habitação coletiva em São Paulo*, tese de doutorado, orientação de Paulo Bruna, FAUUSP, 2002), Fernando Felippe Viegas (*Conjunto Nacional. A construção do espigão central*, dissertação de mestrado, orientação de Eduardo de Almeida, FAUUSP, 2004) e Claudia Virgínia Stinco (*David Libeskind e o Conjunto Nacional. Caminhos do arquiteto e a síntese do construir cidades*, dissertação de mestrado, orientação de Carlos Guilherme Mota, Mackenzie, 2005).

O escrito que origina esta publicação, de autoria da arquiteta Luciana Tombi Brasil (*A obra de David Libeskind. Ensaio sobre as residências unifamiliares*, dissertação de mestrado, orientação de Luis Antonio Jorge, FAUUSP, 2004), foi um trabalho de fôlego. Luciana conseguiu fazer um levantamento complementar de quase toda a minha obra, inclusive na área de artes plásticas, fechando a maior parte das lacunas. Redesenhou as plantas quando necessário e fez uma detalhada análise de algumas das residências unifamiliares que projetei. Foram meses de trabalho exaustivo, que acompanhei com atenção, sendo o resultado tão bom que foi transformado em livro.

Desde que comecei a me ocupar com as pesquisas desses jovens arquitetos, além de aprender muito, adquiri forças para enfrentar as dificuldades físicas que me acometiam. Há uma década tenho me mantido em atividade, aprimorando cada vez mais meu acervo pessoal. Transformei-me involuntariamente em pesquisador amador, descobrindo uma nova ocupação, que além de preencher meu tempo me dá muito prazer. E ainda ganhei este belo livro sobre a minha obra, de autoria da querida e competente colega Luciana Brasil, publicado pela Romano Guerra Editora e Edusp.

A todos vocês a minha gratidão.

São Paulo, fevereiro de 2007.

Aos meus queridos netinhos Julia, Sofia, Marc e Nina.

Prefácio Luis Antonio Jorge

O livro que temos a grata tarefa de apresentar é um brinde àqueles que apreciam a arquitetura e o seu ofício. Um rápido correr de olhos sobre as imagens que ilustram a obra de David Libeskind já nos desperta para uma qualidade rara na representação visual da arquitetura: precisão, força expressiva e domínio dos sentidos plástico e formal. Tais características são evidenciadas, sobretudo, nas fotografias monocromáticas de José Moscardi, em que as relações de luz e sombra, ao revelar as qualidades tátil e material da arquitetura aqui exibida, são capazes de promover um discurso afirmativo e convincente acerca dos valores e das escolhas elaboradas pelo arquiteto. São, simultaneamente, verdadeiras fotos-argumento a serviço da arquitetura de Libeskind e, transcendendo o papel de registro documental, obra fotográfica por excelência.

Ainda pelas imagens podemos perceber o que a análise da arquiteta Luciana Tombi Brasil reivindicará: um estreito vínculo entre o trabalho artístico voltado à pintura, às artes gráficas e à arquitetura, conformando veios e meandros de um só manancial criativo. Na biografia recolhida e apresentada pela pesquisa, poderemos confirmar as primeiras impressões visuais do livro: o diálogo entre linguagens (arquitetura e artes plásticas) freqüentou a formação de Libeskind e marcou indelevelmente o seu desenho de arquiteto. Podemos supor que a matéria plástica tomada como informação estética – foco da sua atividade em pintura – orientou o uso e o padrão dos materiais nas superfícies da arquitetura, na sua retórica pictórica, nas texturas, nas cores, nos brilhos a conferirem distinção e presença visual a planos, volumes ou elementos de destaque da arquitetura. Da mesma forma, sua produção gráfica como ilustrador e designer demonstra uma organização espacial do plano da página e uma presença dos traços a conduzir as figuras e os campos cromáticos com inequívocas correspondências e analogias ao seu desenho arquitetônico: notadamente, no sentido de proporção, no equilíbrio entre cheios e vazios e nos ritmos bem marcados pela sucessão de planos que orientam um movimento fluido pelo espaço. Em ambos, há a condução do projeto por este instrumento reflexivo que é o desenho, e que o arquiteto, como podemos atestar, soube tão bem operar – tanto na sua função representativa (de pré-figuração da arquitetura), como na sua função artístico-expressiva (como manifestação estética, bastante por si mesma).

A autora organizou, no prazo exíguo de uma dissertação de mestrado e contando com a generosa colaboração de Libeskind, uma farta e riquíssima documentação iconográfica que, reunida, demonstra uma intensa atividade profissional, exercida da década de 1950 a meados dos anos 1980. Além disso, não se furtou ao desafio de contextualizá-la no ambiente cultural em que ela se desenvolveu – dos anos de formação em Belo Horizonte (na Escola de Arquitetura da Universidade Federal de Minas Gerais, mas também na Escola do Parque, com as classes de pintura do mestre Alberto da Veiga Guignard) ao início e à consolidação da vida profissional em São Paulo –, em diálogo franco com referências nacionais e, principalmente, internacionais. Assim, vamos tomando conhecimento da constituição do campo profissional e da atuação de uma geração de arquitetos na difusão do desenho moderno no intenso processo de expansão e renovação urbana da cidade.

A apresentação extensa e panorâmica da obra de David Libeskind é inédita e demonstra o alto grau de controle e rigor profissional do arquiteto ao responder a solicitações do mercado imobiliário. Temos indícios da aceitação e da receptividade desses projetos por um público mais amplo – embora pertencente a um segmento social muito bem definido –, influindo na cultura profissional dos arquitetos paulistas e estabelecendo graus de exigência e critérios de qualidade arquitetônica para além daquele restrito meio das obras de exceção. Sem ignorar que o próprio Libeskind se projeta profissionalmente com a autoria de uma destas obras – o excelente Conjunto Nacional na Avenida Paulista –, o livro opta por apresentá-lo de uma outra visada. Passeamos por programas comuns na produção do espaço urbano em São Paulo: moradias burguesas, edifícios habitacionais multifamiliares, agências bancárias ou edifícios de serviços e/ou comércio, isto é, programas incontroversos e, talvez, negligenciados pela historiografia local até recentemente. O livro de Luciana Brasil proporcionará o reconhecimento do devido valor de uma produção de arquitetura para os complexos processos de formação de uma cultura arquitetônica na metrópole paulistana que, a partir dos anos 1950, ao abrigar um vanguardismo cultural difuso (anteriormente protagonizado pela literatura modernista) e permeável aos acontecimentos da cena internacional, contribuindo para a formação de um ambiente receptivo a experimentações artísticas (presente nas Bienais, nos museus, na universidade, no Teatro Brasileiro de Comédia, nos esforços de uma indústria do cinema, com a Companhia Vera Cruz, e no desenho industrial), passa a se projetar como pólo difusor de cultura e dar o tom às aspirações do país.

Mas Luciana Brasil, para abordar os procedimentos projetuais de David Libeskind, foco de interesse da pesquisa, soube selecionar, do conjunto de obras apresentado, 12 residências, que abarcam a maior parte do período de atividade do arquiteto (de 1952 a 1983), para debruçar-se até promover um modo de análise sensível às qualidades desta arquitetura. O jeito de olhar da autora é próprio da atenção necessária à atividade de representação da arquitetura: ela redesenhou as 12 casas para freqüentar os projetos, para apreendê-los, para perceber as variáveis que o arquiteto, recorrentemente, elegia por problema. Assim, o método não estava posto a priori: traçou-se um trajeto que, partindo da solução concreta posta pelo projeto, chegou às categorias de análise, ou seja, do projeto de arquitetura ao procedimento projetual, ou ainda dos espaços configurados às abstrações conceituais propostas. Ao cabo desse trabalho, vimos emergir as quatro categorias de análise, expressas graficamente por quatro tipos de diagramas: a setorização de usos, a organização geométrica e o sistema de distribuição, os espaços de transição e, por fim, os planos verticais e horizontais. Tais diagramas, aplicados às obras selecionadas, permitem comparações entre projetos e indicam procedimentos recorrentes para situações diversas, mas também contribuem para evidenciar a coerência interna entre elas, no âmbito de cada projeto residencial. Portanto, essas categorias não são autônomas, mas interdependentes, exigindo dos leitores um raciocínio próprio à atividade projetual. Podemos, então, observar novamente a resposta materializada – arquitetura construída – após a análise permitida pelas tais categorias propostas. Um rico jogo de ir e vir, de ver e analisar, porque o analisado alimenta o ver de novo e este, por sua vez, reformula os pressupostos analíticos: um jeito de fazer, de saber mais, dirigido ao reconhecimento dos fundamentos da linguagem do arquiteto.

As análises verbal e não-verbal foram entremeadas de forma cuidadosa em uma complementaridade de argumentos, de modo que uma não dispensa a outra, evitando o freqüente equívoco em que ao texto cabe descrever a imagem ou à imagem ilustrar o texto. Esta estratégia permite ao leitor estender a interpretação, explorar novas relações por si próprio e, entre as abundantes qualidades de Libeskind, buscar as que mais lhe interessa estudar.

Nesta perspectiva podemos flagrar a contribuição pessoal do arquiteto à arquitetura produzida em São Paulo que, desde meados do século XX, começa a se caracterizar por um predomínio do saber técnico e construtivo do artefato arquitetônico sobre as suas dimensões urbanística e paisagística. Sem intenções de contraposição, podemos perceber no domínio rigoroso das implantações das residências analisadas uma operação de correção do terreno para definir patamares e permitir novas e destacadas horizontalidades. Em conversa recente com o arquiteto mexicano Carlos Mijares sobre as pirâmides astecas, ele afirmava que elas consistiam em uma sucessão de patamares (daí serem truncadas). O patamar seria uma forma de definição do lugar, muito distinta do construir muros e cercar uma área. No caso de Libeskind, os pátios, varandas ou terraços, ao matizarem as relações com o exterior (ou com a luz), ressaltam o protagonismo dos patamares na constituição dos lugares da casa e, assim, inventam outra relação com a paisagem e a vizinhança.

A pesquisa acadêmica em arquitetura e urbanismo no Brasil tem tido o inequívoco mérito de construir a sua história, revelando valores dessa vasta e heterogênea produção. O livro de Luciana Brasil oferece informações para esta história em construção e contribui para o conhecimento da prática de projeto. Temos nas mãos um belíssimo e amplo registro de uma obra das mais exigentes e sensíveis, embora não propriamente original. O que não quer dizer que ela não tenha inovado e muito menos que não seja fonte de interesse. Ao contrário, e felizmente, a etapa atual da historiografia nacional da arquitetura tem se caracterizado pelo olhar alargado sobre a produção brasileira, incorporando obras e autores em seu inventário constitutivo. David Libeskind é um personagem imprescindível desta história: este é o derradeiro recado do livro de Luciana Brasil.

Introdução Luciana Tombi Brasil

O conteúdo deste livro apóia-se na dissertação de mestrado *A obra de David Libeskind – ensaio sobre as residências unifamiliares*, orientada pelo professor doutor Luis Antônio Jorge e defendida em setembro de 2004 junto ao programa de pós-graduação da Faculdade de Arquitetura e Urbanismo da Universidade de São Paulo. Fizeram parte das bancas os professores doutores Paulo Bruna, FAUUSP (qualificação e final), Agnaldo Farias, EESC-USP (qualificação) e Abilio Guerra, FAU PUC-Campinas (final), estando hoje os dois últimos vinculados à FAUUSP e FAU Mackenzie, respectivamente.

Após o interesse inicial em estudar a habitação unifamiliar, o contato ocasional com as fontes primárias da obra do arquiteto brasileiro David Libeskind acabou redirecionando a pesquisa para o desenvolvimento específico presente em sua obra arquitetônica. Significativa parte da sua obra, produzida ao longo das décadas de 1950 a 1990, já havia sido publicada em revistas especializadas, mas muito pouco fora estudado de forma sistemática até aquele momento, com exceção de sua obra mais representativa, o Conjunto Nacional.

A pesquisa teve início com a organização sistemática – compilação, digitalização e catalogação – do acervo pessoal de David Libeskind, composto por desenhos, fotos, cartas, publicações e documentos diversos. No acervo está presente, além do registro das obras arquitetônicas, uma significativa produção paralela como ilustrador gráfico e pintor, desenvolvida profissionalmente pelo arquiteto principalmente durante as décadas de 1950 e 1960. Este material, igualmente organizado e digitalizado, foi apresentado na dissertação e está, em parte, presente neste trabalho.

Mesmo sendo o foco principal da pesquisa as habitações unifamiliares de David Libeskind, optou-se pela presença de outros projetos ao longo do livro devido a pelo menos dois motivos: apresentar ao leitor o universo formal em que se desenvolve a obra de um arquiteto ainda inédito em livro monográfico; e tornar público, mesmo que uma pequena parte, um acervo iconográfico de excepcional qualidade, constituído por belos desenhos assinados pelo próprio arquiteto e excelentes registros fotográficos da época da construção, um número expressivo deles de autoria de José Moscardi.

Belo Horizonte: cenas de um arquiteto quando jovem

David Libeskind,
1951

Filho de imigrantes poloneses, David Libeskind nasceu em Ponta Grossa, Paraná, em 24 de novembro de 1928, mas com apenas um ano de idade mudou-se com a família para Belo Horizonte. Em 1948 ingressa na Escola de Arquitetura da Universidade Federal de Minas Gerais, onde se gradua em 1952. Pouco tempo depois de formado, em 1953, Libeskind viajará para São Paulo em busca de trabalho e lá se radicará para sempre.

David Libeskind iniciou seus estudos de pintura aos seis anos de idade e destacou-se de imediato. Por sua sensibilidade artística, era freqüentemente estimulado por professores e incentivado já desde muito cedo a divulgar sua produção. Em suas reminiscências há lugar para dona Olímpia, professora e artista amadora, sua primeira incentivadora; para dona Julieta, professora do Grupo Escolar, que enviava seus desenhos e pinturas para o jornal *O Estado de Minas* para serem publicados no caderno infantil; para dona Conceição Lobato Felisberto, que ministrava aulas extras de figuras no Ginásio, as quais resultavam em paisagens e relevos de gesso que eram vendidos sob encomenda e rendiam algum dinheiro para o jovem artista.

Mas se deve ao estudo da pintura sob orientação do mestre Alberto da Veiga Guignard – artista brasileiro com formação na Alemanha e Itália, e conhecido por suas telas com paisagens de Minas Gerais – a fase mais significativa da sua formação artística. Foi aluno do pintor modernista durante os anos de 1946 e 1947, mas durante o período universitário continuou freqüentando periodicamente seus cursos, quando possível. Era a época de uma Belo Horizonte peculiarmente fecunda, que vivia um momento de grandes transformações culturais, sociais e políticas, despertando da letargia histórica sugerida por Carlos Drummond de Andrade: "O que era escândalo na capital de São Paulo, ou em certo meio de lá, em 1922 não chegava a atingir BH, quando só a Central do Brasil ligava as duas cidades, e a placidez da vida mineira podia ser comparada à 'toalha friíssima dos lagos' do nosso parque Municipal. E nós éramos uma rusga nessa toalha serena."

Ouro Preto, 1951

O ambiente cultural mineiro já revelava, desde a década de 1920, uma série de inquietações em torno da renovação artística, com o surgimento de uma geração de intelectuais que seriam os novos agentes da cultura. Essas inquietações apontavam para novas maneiras de ver e agir, que começaram lentamente a entrar em ebulição na ainda muito restrita e provinciana capital mineira. Reforçando a voga renovadora, em 1925 surgem na capital mineira diversas escolas superiores e, dois anos mais tarde, é criada oficialmente a Universidade de Minas Gerais.

O movimento modernista, segundo Vanda Mangia Klabin, desenvolve-se em Minas a partir da experiência literária, área artística em que "se travará o conflito entre o antigo e o moderno, mas revelando um desejo de valorização da estética do passado, no sentido de atualizá-lo através de uma reforma dentro das tendências modernas, que já eram assimiladas nos sucessivos encontros dos intelectuais mineiros em livrarias, como a Livraria Alves, onde se tinha acesso às novas idéias oriundas dos principais centros produtores de literatura modernista, ou seja, Rio e São Paulo".

Em 1925, com a publicação de *A revista* – sob direção de Carlos Drummond de Andrade e Martins de Almeida, com artigos de Mário de Andrade, Emílio Moura, do próprio Carlos Drummond de Andrade, Pedro Nava e Manuel Bandeira, entre outros –, temos o lançamento simbólico do movimento moderno em Minas. Pedro Nava, em sua "Evocação da Rua da Bahia", lembra que dentre os componentes desta geração, que teve participação ativa na vida intelectual mineira, encontravam-se, além dele mesmo, Carlos Drummond de Andrade, Emílio Moura, Francisco Martins de Almeida, Hamilton de Paula, Abgar Renault, João Guimarães Alves, Heitor Augusto de Souza, João Pinheiro Filho, Gustavo Capanema, João Alphonsus de Guimaraens, Milton Campos, Cyro dos Anjos, Ascânio Lopes, Luis Camilo e Aníbal Machado.

Contudo, somente na década de 1940 a capital Belo Horizonte irá vivenciar um período mais intenso e abrangente de atualização das idéias modernistas e as primeiras tentativas de sincronização das estruturas socioculturais com o mundo cosmopolita. Sob a administração do então prefeito de Belo Horizonte, Juscelino Kubitschek, vários acontecimentos irão produzir grande impacto ao sacudir o ambiente cultural da capital mineira e gerar mudanças de rumo para as atividades artísticas.

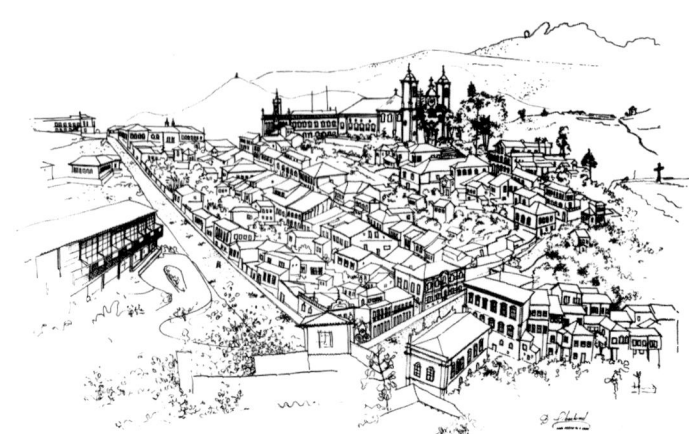

Uma das iniciativas é do próprio governo municipal (1940-1945), que permitiu a artistas de espírito moderno o questionamento dos padrões tradicionais vigentes e a introdução de novos princípios de linguagem plástica no projeto de urbanização da área da Pampulha, em Belo Horizonte. Há um certo grau de imprevisto nesse fato, pois Juscelino chegou a convidar o urbanista francês Alfred Agache – que já havia desenvolvido um plano urbano para a então Capital Federal, Rio de Janeiro, em 1927 – para pensar novas soluções urbanísticas para a cidade.

Contudo, por motivos diversos as propostas do francês não são aceitas. Um deles era decisivo: a indicação do arquiteto Oscar Niemeyer feita pelo influente jornalista e escritor Rodrigo Melo Franco de Andrade, diretor do Sphan desde sua fundação em 1937 e responsável pela indicação de Lúcio Costa para a direção da Escola Nacional de Belas Artes em dezembro de 1930. Rodrigo, como era conhecido, indicou em 1942 o arquiteto Oscar Niemeyer a Kubitschek para desenvolver o projeto da Pampulha. Menina dos olhos do jovem prefeito, o conjunto arquitetônico foi concebido como um novo pólo de desenvolvimento da cidade, com a previsão de algumas edificações em torno da área do lago: o Cassino (atual Museu de Arte), o Iate Clube, a Casa de Baile e a Igreja de São Francisco de Assis.

Móveis desenhados por David Libeskind durante o curso de arquitetura, Belo Horizonte, início dos anos 1950

Uma vez à frente do projeto, Niemeyer promoveria a integração entre arquitetura e artes plásticas, convocando para colaboradores artistas modernos: Cândido Portinari, autor das pinturas e azulejos da Igreja; Athos Bulcão e Alfredo Ceschiatti, responsáveis pelas esculturas; e Roberto Burle Marx, a quem coube a concepção paisagística.

Segundo Heliana Angotti Salgueiro, "com a construção do conjunto da Pampulha introduziu-se um novo repertório para a arquitetura moderna em Minas Gerais. A partir de então, várias obras dentro desta tendência seriam construídas na capital mineira, contribuindo para alterar a fisionomia da cidade". Trata-se de um fato tão significativo que simboliza uma das três cidades sucessivas de Belo Horizonte, cujas duas primeiras são reconhecíveis apenas em vestígios: "A do final do século XIX e começo do XX no traçado central, onde sobraram casas isoladas e edifícios públicos; depois a Belo Horizonte que acolhe o Modernismo lírico da Pampulha, diferente do Movimento Moderno europeu e coexistente com o surto de art déco; e a Belo Horizonte atual, com as imagens da cidade que sobe e se justapõe, sem controle, às outras."

O jovem David Libeskind não passou incólume diante do grande impacto provocado pela Pampulha, que era recém-concluída quando ele ainda iniciava a escola de arquitetura. Relembrou muitos anos depois o sentimento de "enorme emoção" que lhe cau-

Antonio (desenhista), Glauco Manoel de Oliveira e David Libeskind, escritório de Libeskind, Belo Horizonte, início dos anos 1950

sou a obra, que o influenciou e marcou significativamente o início da sua formação, e a possibilidade de logo depois ter convivido de perto com os fatos e personagens mais importantes do período. Amigos de Libeskind que trabalhavam com Oscar Niemeyer o convidavam a visitar o escritório sempre que ele estava presente em Belo Horizonte. O arquiteto carioca, após a eleição de Juscelino para governador do Estado, montou escritório na cidade para dar conta das encomendas que surgiram após o sucesso de Pampulha. Libeskind pôde assim conhecer em primeira mão alguns projetos encomendados por Juscelino, como a escola de Uberaba, "projeto concebido em um final de semana", segundo sua recordação.

Em 1944, uma grande mostra de arte, a I Exposição de Arte Moderna, que teve entre os seus organizadores o literato paulista Oswald de Andrade, é patrocinada pela prefeitura de Belo Horizonte. Era uma exposição coletiva que reunia os representantes mais significativos do movimento modernista brasileiro: Tarsila do Amaral, Emiliano Di Cavalcanti, Lasar Segall, Candido Portinari, Ismael Nery, Francisco Rebolo, Aldo Bonadei, Carlos Scliar, Clóvis Graciano, Heitor dos Prazeres, Djanira da Mota e Silva, entre outros. A participação de artistas não-acadêmicos em uma exposição de arte já era uma grande conquista para o acanhado ambiente cultural mineiro e causou, nas palavras de Vanda Mangia Klabin, "múltiplas controvérsias e incompreensões, gerando uma série de debates e conferências. Era o início de um período de agitação em torno de novas idéias, iniciando-se uma tímida reação ao espírito acadêmico".

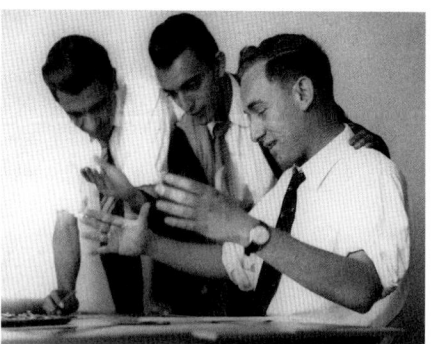

Controvérsia e incompreensão que não se resumiram a um mal-estar no seio das famílias tradicionais da cidade, mas se materializaram em atos de enfrentamento. Segundo recorda Libeskind, "as obras apareceram cortadas com estilete na manhã seguinte". Na verdade, foi a tela do pernambucano Luis Soares, *A nau catarineta*, que sofreu o atentado, sendo cortada a canivete por um visitante da mostra. O fato reitera a condição da cidade ainda presa a rígidos limites que não permitiam sua integração às mudanças que, mesmo tardiamente, já atingiam parte do país, sobretudo após a Semana de Arte Moderna de 1922, em São Paulo, e o Salão Nacional de Belas Artes de 1931, no Rio de Janeiro, organizado por Lúcio Costa e também conhecido como Salão Revolucionário ou Salão de 31.

Belo Horizonte, uma cidade planejada com pouco mais de 40 anos, mas com uma sociedade profundamente conservadora, resistia às mudanças estruturais que o país começava a esboçar. Contudo, esta exposição foi um dos fatos marcantes na formação de Libeskind, pois, muito além do impacto causado pelo incidente do quadro cortado, proporcionou a possibilidade da descoberta de obras dos principais pintores modernos brasileiros, ampliando a sua experiência com o mundo das artes plásticas.

A terceira iniciativa importante no âmbito das inovações culturais em Belo Horizonte é a criação da Escola de Belas Artes, no ano de 1943. A idéia de Juscelino era contratar artistas modernos para possibilitar a implantação de novas normas estéticas capazes de superar o velho ensino acadêmico. Para dirigir um curso livre de Desenho e Pintura, o prefeito convida Guignard, àquela altura já reconhecido internacionalmente – o MoMA de Nova York, por exemplo, havia adquirido sua tela *Noite de São João*, de 1942, com fundos da Inter-American Foundation, como consta no livro-catálogo *Painting and Sculpture in the Museum of Modern Art*, de 1948. Guignard aceita imediatamente o convite feito e transfere-se do Rio de Janeiro para a capital mineira, desenvolvendo as suas atividades artísticas a partir daí entre Belo Horizonte, São João del-Rei, Sabará e Ouro Preto. Segundo Lúcia Machado de Almeida, "o sol e a claridade de Minas impressionaram de tal maneira as retinas do artista, que este, sensivelmente, passou a revelar em seus trabalhos essa presença luminosa", conformando-se com um divisor de águas em sua carreira. As freqüentes referências de Oscar Niemeyer a Guignard se dirigem às suas magníficas pinturas da paisagem montanhosa de Minas Gerais.

Capa para a revista *Arquitetura e Engenharia*, n. 16, Belo Horizonte, 1951

Reforma de agência bancária, Belo Horizonte, início dos anos 1950

perspectiva interna

Guignard e a Escola do Parque Em 1944, Guignard assume a direção da Escola Livre de Desenho, também conhecida por "Escolinha", e famosa posteriormente como "Escola Guignard". Ali inicia uma importante carreira de professor em Minas Gerais, responsável pela formação de vários artistas. A importância do trabalho logo é notada por Mário de Andrade, que observa, em 1944, que "entre os milagres do Brasil, havemos de colocar Belo Horizonte, e entre os bons milagres, ela mantém agora uma Escola Municipal de Pintura, dirigida por Veiga Guignard. [...] O artista se entregou imediatamente sem reservas aos alunos e com isto acontece que os mais hábeis já

Estudo para Residência José de Azevedo Carvalho, Belo Horizonte, 1951

estão pintando bem demais". Mesmo considerando a qualidade artística de outros professores – caso de Edith Behring e Franz Weissmann –, é Guignard, conhecido pela extrema dedicação aos alunos, o "ponto de referência essencial", conforme nos revela Lúcia Machado de Almeida. "É através de sua atuação como professor e artista plástico", continua a autora, "que vai sendo pouco a pouco estruturada uma nova tendência estética, que modificará sensivelmente as novas gerações de pintores que o sucedem." Em torno de si, Guignard aglutinou toda uma geração de jovens talentos, que até então não tinha tido espaço ou oportunidade para se desenvolver e se manifestar. "De seu primeiro grupo surgiram pintores como Maria Helena Andrés, Marilia Gianetti Torres, Amílcar de Castro, Heitor Coutinho, Mario Silésio, Nina Xavier e outros."

É portanto em torno da presença de Guignard em Minas e da sua atuação como professor da Escola do Parque, como também era chamada, que se consolida um ambiente cultural propício para a discussão, difusão e compreensão da pintura moderna em Minas. Afirmação corroborada pelo depoimento dado por seu aluno Mario Silésio em 1982: "Guignard foi quem trouxe realmente para Belo Horizonte a maneira de enxergar a pintura moderna. Nós tivemos uma exposição de pintura moderna brasileira com Portinari, o próprio Guignard, Anita Malfatti etc. Já havia um início, mas o povo não se sentia bem em relação à modernidade. Com a vinda de Guignard é que começamos a fazer exposições, conferências e aqui se criou um certo movimento que dura até hoje. Quase todo dia a imprensa apoiava com artigos, entrevistas com alunos, tudo para movimentar. Foi com ele que realmente surgiu o movimento modernista. Ele encontrou um campo fértil, com todos os alunos dedicados a ele, sem nenhum conhecimento anterior."

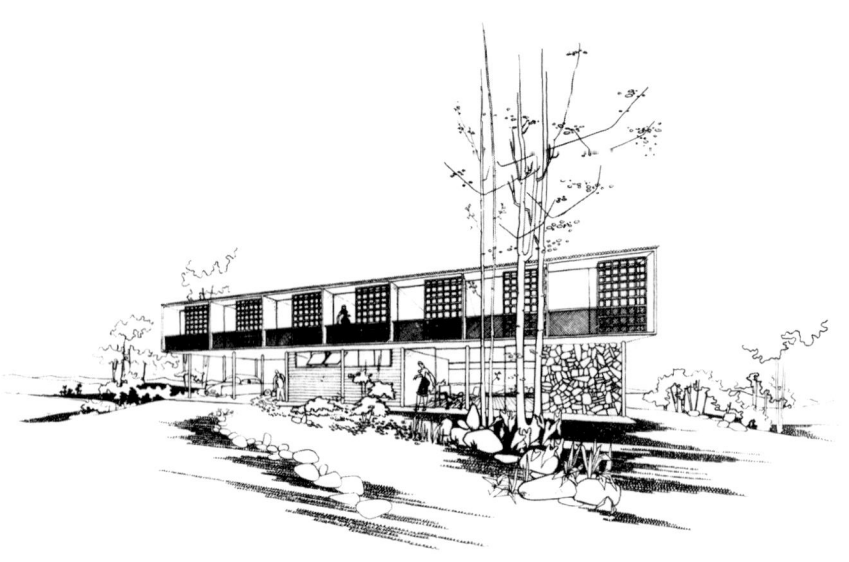

A partir de 1946, Libeskind, então com 18 anos, passou a freqüentar as aulas de pintura de Guignard e em pouco tempo se transformou em um de seus mais destacados alunos. Durante os primeiros anos, sob a orientação do mestre, realizava pintura figurativa, pintando paisagens das cidades históricas mineiras, tendo sido publicado em diversas oportunidades nos jornais da época. Digno de nota, temos um comentário de Antônio Bento sobre o Salão Nacional publicado na seção "As Artes" de uma edição de 1947 do *Diário Carioca*: "De Belo Horizonte, Guignard me fala com o seu entusiasmo de costume sobre os trabalhos que ele e seus principais alunos enviaram ao Salão, somando ao todo 21 desenhos e igual número de pinturas a óleo. O mestre adianta que um de seus novos alunos, o jovem D. Libeskind, passou um autêntico 'rabo-de-arraia' nos colegas mais antigos e está fazendo progressos rapidíssimos."

Cabe destacar o método de ensino de Guignard, que iniciava o processo com desenho de observação a lápis de grafite dura (2H, 4H, 5H ou até 9H). Era uma fusão de disciplina e liberdade, pois em "um dia ele dava um lápis duro, no outro alguma coisa para soltar a imaginação, um trabalho mais solto de manchas". Esmiuçando a importância do método para os alunos, Amilcar de Castro – citado em artigo de Susane Worcman – continua sua descrição daquela época: "Essas coisas marcavam muito os alunos, a necessidade de precisão, de ordem, de organização, de estrutura. Ele ensinava preparação de tela, de tinta, mas não era isso o importante. O principal era a forma, a linha, a feitura da linha". No exercício com este lápis duro o futuro arquiteto revelaria seu talento artístico.

Rosácea bizantina, composição decorativa, bico de pena. Exercício do curso de arquitetura, 1950

A Escola de Belas-Artes, segundo Vanda Mangia Klabin, apenas um ano após sua criação por Juscelino Kubitschek, sofre uma modificação institucional com o Decreto Municipal n. 151, datado de 28 de fevereiro de 1944. Por este decreto fundou-se o Instituto de Belas-Artes de Belo Horizonte, absorvendo a Escola de Belas-Artes e incorporando a Escola de Arquitetura, que funcionava como um curso livre, mas com conteúdo de ensino superior. O objetivo era enquadrar os cursos ministrados na Escola de Arquitetura em correspondência aos da Escola de Belas-Artes do Rio de Janeiro, visando a garantir o reconhecimento federal e, portanto, a sua inserção no sistema oficial de ensino da arquitetura. Essa linha de ensino não é, entretanto, aceita por Guignard, que terá uma atuação importante no sentido de preservar a autonomia didática para a Escola de Belas-Artes, não se sujeitando a nenhum tipo de regulamento que pudesse enquadrar o seu curso dentro de um sistema acadêmico de ensino equivalente ao da Escola Nacional de Belas-Artes. A união dessas escolas acaba fracassando, sendo que em 1946 a Escola de Arquitetura é incorporada à Universidade de Minas Gerais e, em 1947, o Instituto de Belas-Artes sofre uma reforma administrativa, adotando o nome de Curso de Belas-Artes. Após o retorno da autonomia, a escola enfrenta dificuldades financeiras e passa por sedes provisórias até se fixar no prédio inacabado do Palácio das Artes, no Parque Municipal. Guignard permanece à frente da Escola até sua morte, em 1962, quando, em sua homenagem, ela passa a se chamar Escola Guignard.

Estudo para Residência José de Azevedo Carvalho, Belo Horizonte, 1951

Opção pela arquitetura Apesar de futura promessa nas artes plásticas, David Libeskind opta pela carreira de Arquitetura, o que lhe valeu a censura de Guignard, que entendia na escolha uma "traição" às artes plásticas. Por motivos antagônicos, sua escolha também contraria os pais, que desejavam que estudasse engenharia. "Arquitetura não era vista como uma profissão assim como medicina, engenharia ou direito.", comenta Libeskind, circunstanciando a posição dos pais. Mas, mesmo diante da pressão dos mais próximos, em 1948 Libeskind ingressa na Escola de Arquitetura da Universidade Federal de Minas Gerais, classificando-se em primeiro lugar. Durante todo o período da faculdade manteve seus estudos de pintura e desenho com Guignard na Escola do Parque, aprimorando cada vez mais a habilidade para o desenho, que se mostrou fundamental para sua formação em arquitetura.

Essa formação se mostrou muito útil nos primeiros trabalhos profissionais durante o curso de arquitetura. Alguns de seus desenhos para o escritório do arquiteto Eduardo Mendes Guimarães Júnior, no qual foi estagiário entre os anos de 1951 e 1952, são publicados no n. 16 da revista *Arquitetura e Engenharia*. O contato lhe valeu também a oportunidade de conceber a capa do volume, primeira de uma grande série que realizaria mais tarde. A mesma habilidade lhe valeu a chance de participar do levantamento gráfico da arquitetura colonial em Ouro Preto, trabalhando sob o comando do arquiteto Sylvio de Vasconcellos, na ocasião chefe do escritório regional do Sphan – o então Serviço do Patrimônio Histórico e Artístico Nacional.

De família de intelectuais, Vasconcellos era também professor da Escola de Arquitetura desde 1948 e, cinco anos depois, se tornaria um dos primeiros catedráticos por concurso com uma tese sobre arquitetura residencial em Ouro Preto, tema sobre o qual tinha profundo conhecimento, pois, por designação de Rodrigo de Mello Franco de Andrade, diretor nacional do Sphan, era desde 1939 o primeiro chefe de distrito do Patrimônio em Minas, cargo que ocuparia por 30 anos. Coube a Vasconcellos apresentar a Libeskind, por meio das publicações, a arquitetura moderna. Por meio do mestre, o aluno tem contato com as obras de arquitetos cariocas (Jorge Machado Moreira e Afonso Reidy) e paulistas (Rino Levi e Vilanova Artigas), publicados nas revistas do grêmio da escola, *Arquitetura e Engenharia* – publicada em Belo Horizonte de 1947 a 1965 – e *Acrópole*, de ampla circulação nacional. Na memória de Libeskind, Sylvio de Vasconcellos "foi o professor mais importante na minha formação".

Durante os anos de 1951 e 1952, os últimos dois anos do seu curso de graduação, Libeskind consegue manter, em sociedade com o colega de turma Décio Correa Machado, um pequeno escritório em Belo Horizonte. Além de auxiliar com desenhos e desenvolvimento de projeto o arquiteto Eduardo Mendes Guimarães Júnior, que tinha escritório no mesmo prédio, desenvolve na ocasião os seus primeiros projetos particulares, alguns deles construídos – as residências para Ângelo Aurélio Rezende Lobo e José Felix Louza. Outros não saem do papel, caso das residências para José Maria Rabello, José de Azevedo Carvalho e Léo Barroso e o edifício BH, que mereceu até fotomontagem.

Formatura da turma de arquitetura de 1952 da UFMG. David Libeskind assina a ata da cerimônia

Fotomontagem do *Edifício BH*, Belo Horizonte, 1951

A efervescência cultural vivida por Belo Horizonte foi fundamental e decisiva na formação do arquiteto David Libeskind. A presença de Oscar Niemeyer em Minas Gerais, o projeto da Pampulha, a I Mostra de Artes Plásticas e a Escola de Guignard, entre outros fatores, o aproximaram e o envolveram com o movimento moderno dentro do universo das artes plásticas e da arquitetura. Sua juventude intelectual se cumpre dentro de um ambiente cultural minimamente atualizado, que lhe permite um contato precoce como a problemática artística e o pensamento estético modernos.

Coroando o processo, se dá na formatura de sua turma, em 1952, um fato marcante, com as presenças de Juscelino Kubitschek e Affonso Eduardo Reidy nos papéis de patrono e paraninfo. Em seu discurso, Reidy – no mesmo ano em que concluía as obras para o Conjunto Residencial Pedregulho – convoca os jovens formandos a assumirem seu papel na história da arquitetura moderna brasileira: "Se alguma coisa já foi feita, se um passo à frente já foi dado, muito ainda resta por fazer e a vocês, que entram na arena com sangue novo, caberá uma grande parcela de responsabilidade no prosseguimento das pesquisas e dos estudos necessários à formação de ambiente compatível com os conceitos éticos, estéticos e científicos da arquitetura e do urbanismo."

São Paulo: amadurecimento intelectual de um arquiteto migrante

**Conjunto Nacional,
São Paulo, 1954**

perspectiva
fachada para
Rua Augusta

Libeskind chega a São Paulo em 1953, logo após a conclusão da escola de arquitetura em Belo Horizonte, tendo em mãos duas cartas de recomendação assinadas por seu professor Sylvio de Vaconcellos. Uma delas era endereçada a Lourival Gomes Machado, outra a Luis Saia. Este último o apresentou a grandes arquitetos no então conhecido "Clubinho" da sede paulista do Instituto de Arquitetos do Brasil, como era carinhosamente chamado pelos freqüentadores, sediado no subsolo do Edifício do IAB e que foi, para a geração de Libeskind, um ponto de encontro privilegiado na cidade. "Nesse tempo", segundo depoimento do arquiteto Salvador Candia, "o Instituto de Arquitetos, com aproximadamente cem associados, motivava o encontro entre os profissionais. Uma vez por semana, às quartas-feiras, almoçavam juntos, quando aconteciam então as famosas brigas entre os acadêmicos, os irrequietos e os do 'meio', como Artigas e Rino Levi. Apesar das disputas, em todos era forte a consciência da corporação."

O Departamento de São Paulo do Instituto de Arquitetos do Brasil fora inaugurado em 1943, com uma cerimônia conduzida por Luiz Anhaia Mello e Eduardo Kneese de Mello. O local escolhido foi a Biblioteca Municipal, que, juntamente à Galeria Prestes Maia, era palco obrigatório dos principais acontecimentos da agenda cultural paulistana. Nos anos 1950, quando nossa arquitetura era reconhecida mundialmente, a participação política e cultural do IAB transcendia a própria categoria, com reverberações pelo corpo social da capital paulista. Libeskind recorda-se de ter visto transitando pelo IAB-SP um grande número de importantes arquitetos, artistas e outros protagonistas da cultura brasileira dos anos 1950.

Conjunto Nacional, São Paulo, 1954

perspectiva aérea

fotomontagem, esquina Avenida Paulista com Rua Padre João Manoel

rampa e mezzanino

Já em 1955, apenas dois anos após chegar à cidade, Libeskind torna-se diretor do Departamento Artístico do IAB-SP, cumprindo o duplo papel de curador e organizador da I Exposição Individual de Guignard em São Paulo, ocorrida na própria sede da entidade. Esta exposição, apesar de não se configurar como uma retrospectiva, contou com 34 trabalhos do artista, entre eles *Autorretrato* e *A família do fuzileiro*, pertencentes ao espólio de Mário de Andrade. Também contou com obras das coleções particulares de Lúcia Machado de Almeida, Sylvio de Vasconcellos e Mário Silésio. Como autor, Libeskind participou de mostras de artes plásticas na sede do IAB-SP, denominadas "Arquitetos-Pintores". Dessas mostras, vale a pena destacar a ocorrida em 1964, com as participações importantes de Flávio de Carvalho, Mauricio Nogueira Lima, Odilea Toscano, Sérgio Ferro e diversos outros arquitetos.

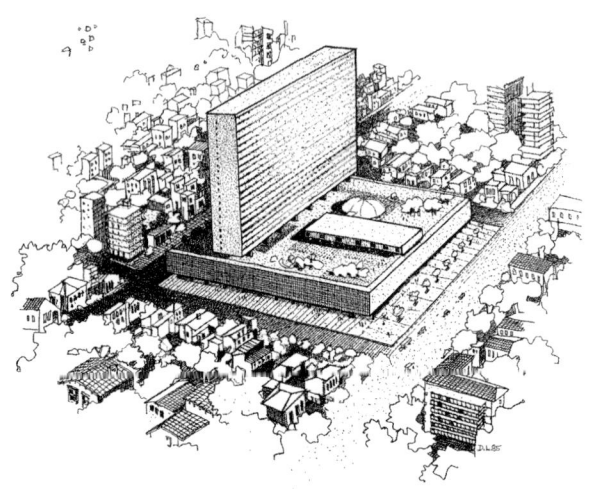

Este ambiente propício ao desenvolvimento cultural e artístico modernos se dá, segundo Regina Meyer, impulsionado pela condição metropolitana alcançada pela cidade. Como o Rio de Janeiro, São Paulo exibe nos anos 1950 as "marcas de um novo tempo de conquistas, onde o processo de verticalização se acelerava, acompanhado de um crescimento populacional vertiginoso". O crescimento econômico se rebatia em todos os outros aspectos da vida coletiva. Ainda segundo Meyer, "os caminhos para alcançar as propriedades, as qualidades, as particularidades e a maneira de ser da metrópole paulistana no seu momento de mudança intensa apontam para diversos sentidos. Até aqui lidamos sobretudo com aspectos socioeconômicos, políticos e físicos. Sabemos entretanto que tão reveladores

Mies van der Rohe durante visita a São Paulo. Conjunto Nacional (maquete de José Zanini Caldas)

quanto estes são os relacionados à cultura, ao comportamento do indivíduo na sociedade metropolitana". A esperança e o otimismo embalavam um país eufórico por um período de crescimento de 7,8% ao ano, e Juscelino Kubitschek, o governador desenvolvimentista de Minas Gerais, foi eleito Presidente da República em 1955.

Consolidação da metrópole e o Conjunto Nacional Segundo Regina Meyer, na década de 1950 a cidade de São Paulo apresentava um conjunto de atributos físicos, sociais, econômicos e culturais que a co‑

locava na universal categoria de "metrópole moderna". São Paulo tornou-se a maior metrópole brasileira no período de 1950-1960 com uma população que, já em 1954, era de 2.817.600 habitantes, e que no decorrer dessa década assumiu características de uma cultura urbana preponderante, onde a sociedade, de maneira geral, teve a oportunidade de participar do processo de transformação e assimilação das "novas formas de cotidiano, de pensar, de se comportar". No decorrer da década de 1950, a divulgação do *American way of life* ampliou e fortaleceu um novo estilo de vida, de comportamento e consumo. A iniciativa de Assis Chateaubriand, de via Diários Associados criar a TV Tupi em 1950, faz parte do processo de organização da indústria cultural no Brasil e da idéia da necessidade de consumo atrelada aos produtos modernos, práticos e funcionais veiculados pelas revistas, pelo cinema, pelos programas de rádio e pela própria televisão.

Marlene Milan Acayaba salienta o novo papel cultural de São Paulo dentro do contexto mais amplo do país: "No início da década de 1950, o Brasil se transformou. Com a expectativa da mudança da capital para Brasília, o Rio de Janeiro começou a perder a característica de centro difusor da cultura. São Paulo cresceu, prosperou, criou museus, fez a Bienal, e as escolas de arquitetura tornaram-se autônomas dos cursos de engenharia. Além disso, nesse período do pós-guerra houve em todo o mundo uma verdadeira revolução estética que ensejou a manifestação de novas idéias. O aparecimento de uma arquitetura paulista, nessa época, se deu no momento em que a sociedade passou a aceitar as propostas 'progressistas'."

No contexto específico da arquitetura paulista, o crescimento vertiginoso de São Paulo coloca em pauta a relação entre o edifício e o meio urbano. Convergem nesse momento discussões e concepções teóricas esparsas presentes no meio já há pelo menos uma década e que defendiam a primazia da cidade sobre o objeto isolado. Tal convicção era forte o suficiente para aproximar dois personagens principais daquele período e que se colocavam em posições antípodas no campo político-ideológico: Rino Levi e Vilanova Artigas. Júlio Katinsky, em depoimento para o inquérito *Arquitetura brasileira após Brasília*, faz uma excelente descrição do momento: "A nossa formação ocorreu entre os anos de 1950 e 1960. Quando digo 'nossa formação' tenho na idéia um determinado grupo de arquitetos em São Paulo e não todos os arquitetos de São Paulo. São aqueles que, dentro da escola, elegeram como modelos, no âmbito provinciano, duas figuras: o Rino Levi e o Artigas. Ambos tinham algo em comum. Embora, politicamente, nada. O primeiro era francamente ligado aos grupos mais conservadores paulistas e o outro aos grupos que podemos chamar de mais progressistas brasileiros. No entanto, o que tinham em comum como arquitetos era a consciência de que a cidade precede a arquitetura, ou melhor, de que a cidade, como um todo, é maior que o objeto edifício. Ou ainda, de que a cidade era alguma coisa mais que a simples soma dos edifícios. Os dois arquitetos

Conjunto Nacional, São Paulo, 1954

fotomontagem, vista aérea

perspectiva acesso

perspectiva térreo

**Conjunto Nacional,
São Paulo, 1954**

planta e corte
geodésica

planta
pavimento tipo

corte transversal

planta
pavimento térreo

vista esquina
Avenida Paulista
com Rua Augusta

detalhe geodésica

rampa

edifício em obras

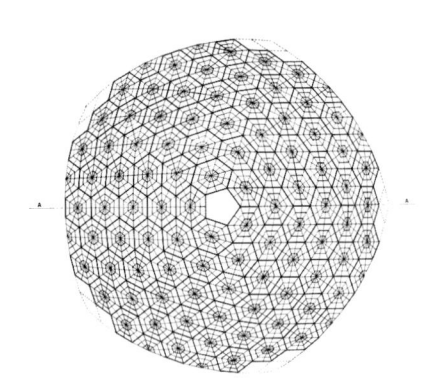

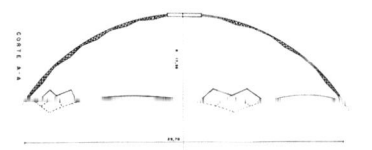

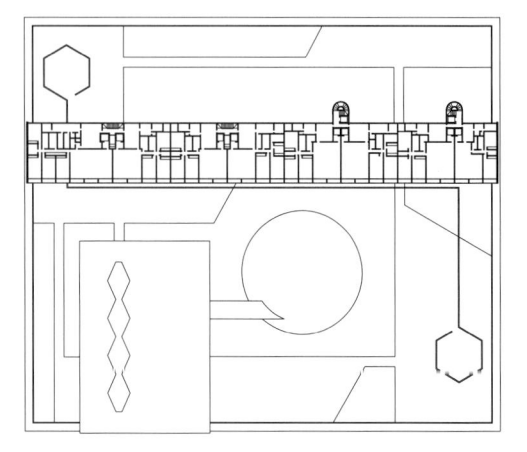

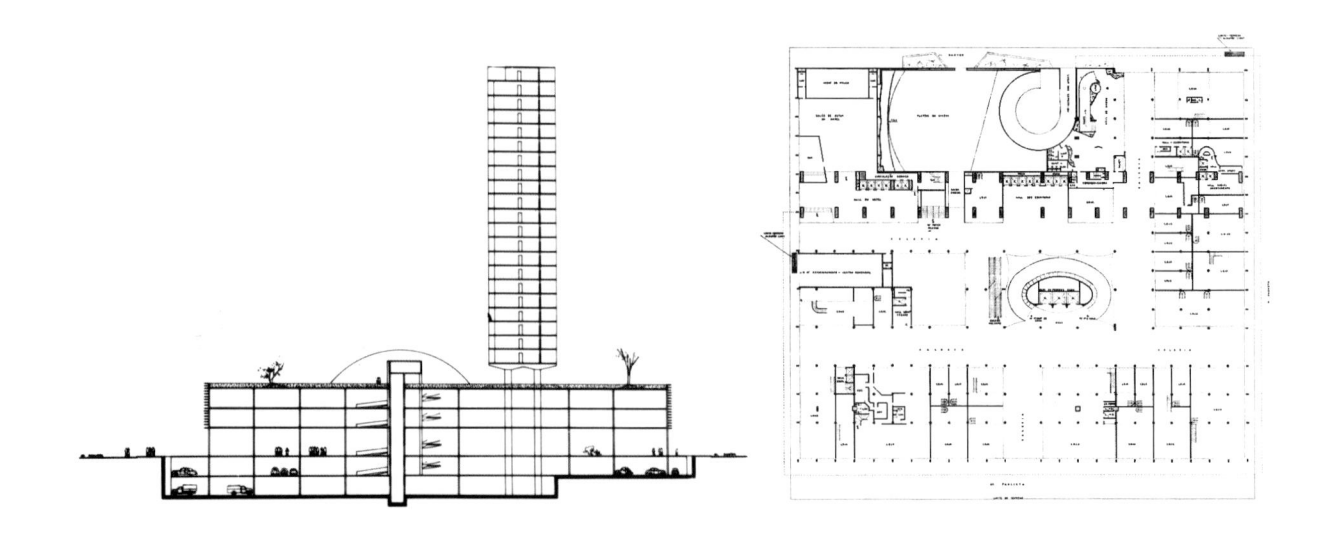

David Libeskind

39   Capítulo 2

**Edifício Casablanca,
São Paulo, 1974**

perspectiva externa

tinham essa postura em cada projeto. Havia outra tendência dentro da arquitetura paulista, que era a de considerar o edifício como um universo fechado. O chefe destes arquitetos era Miguel Forte."

Tal polêmica não passaria incólume na obra de David Libeskind. Em 1954, ainda recém-instalado na cidade, Libeskind venceu o concurso fechado para o Conjunto Nacional. Foi através de um amigo, o engenheiro Antonio Mauricio da Rocha, que foi informado sobre o concurso. O Conjunto Nacional, juntamente com o Copan e com o Parque do Ibirapuera, transformou-se em uma das obras mais significativas da mudança vertiginosa pela qual a cidade passou na década de 1950. Traduz o sentimento de grandiosidade de São Paulo, uma das metrópoles que mais crescia no mundo, e se transformou em símbolo da moderna sociedade paulistana daqueles anos.

A idéia do projeto está vinculada ao processo de deslocamento constante da centralidade da capital, que nesse período muda do Centro Novo para a Avenida Paulista, fenômeno que contribuiu para acelerar a verticalização e a mudança de uso e ocupação da região mais nova. No seu aspecto arquitetônico, representou uma nova tipologia para os edifícios multifuncionais que surgiram em São Paulo a partir de 1935 com a construção do Edifício Esther, projeto dos arquitetos Álvaro Vital Brazil e Adhemar Marinho.

Iniciativa do empreendedor José Tijurs, o Conjunto Nacional ocupa uma gleba de 14.600 m², correspondente à totalidade de uma quadra. Com aproximadamente 150.000 m² de área construída, o programa está distribuído em dois grandes volumes: um horizontal, que ocupa todo o terreno, e outro vertical, que se desenvolve sobre pilotis, sobre o terraço-jardim do bloco horizontal. O volume horizontal corresponde ao conjunto comercial, com galerias de lojas, restaurantes, bancos e cinemas, distribuídos em três pavimentos, além do terraço-jardim – elemento de transição entre os volumes horizontal e vertical –, concebido como uma grande praça pública, decisão de projeto que confere a esse pavimento características urbanas. Na grande lâmina vertical, três torres contíguas com acessos independentes permitem a con-

Edifício Clelta, São Paulo, 1965

perspectiva externa

vivência de usos distintos como escritórios, consultórios e residências, sem as interferências problemáticas que uma sobreposição poderia causar. A articulação com a cidade ao nível do solo, com as calçadas em pedra portuguesa adentrando seus espaços internos de pé-direito generoso por todas as quatro calçadas lindeiras, demonstra a consciência do arquiteto sobre o novo papel do edifício de caráter urbano, concebido como extensão do espaço público. Trata-se de uma proposta inovadora, onde se percebe uma evolução da relação anterior inadequada entre a arquitetura moderna e a cidade, marcada pela autonomia do objeto.

Intermezzo: ilustração gráfica e pintura Ainda na década de 1950, Libeskind volta a exercer, em paralelo à sua atividade principal de arquiteto, uma prática já iniciada em Belo Horizonte, em 1951, quando ilustrou a capa da revista mineira *Arquitetura e Engenharia*. Apesar de nunca se tornar seu ofício principal, manteve-se bem ativo na área, trabalhando como ilustrador gráfico entre os anos de 1954 e 1960, quando conseguiu manter uma média anual de cinco a seis capas de revista.

No final da década de 1950, Libeskind foi convidado pelo arquiteto Fabio Penteado para realizar a ilustração da capa da revista *Visão* (edição de 29 de março de 1957), uma das mais importantes revistas brasileiras da época. Dedicou-se nos três anos seguintes – até a edição de 24 de junho de 1960 – à produção de várias capas dessa revista, que, em termos de projeção, transcendia a limitada circulação das revistas especializadas para atingir o patamar da grande tiragem de uma distribuição nacional. Contudo, Libeskind também se dedicou à ilustração de revistas especializadas, como, por exemplo, a *AD – Arquitetura e Decoração* e a *Revista de Engenharia Mackenzie*, e de capas de livros e de catálogos para empresas especializadas em produtos do ramo da construção civil. Ainda em 1957, o arquiteto dirigiu por pouco tempo a revista *Brasil Arquitetura Contemporânea*.

Pode-se notar que o ilustrador Libeskind, invariavelmente, participa das concepções do designer gráfico Libeskind, no uso recorrente do desenho à mão livre, despojado, tanto na forma figurativa como no tratamento gráfico de composições abstrato-geométricas, chegando, às vezes, à própria tipografia. Tais recursos gráficos, advindos da gravura e da colagem, também participam do seu repertório de artista plástico.

O rápido sucesso profissional de Libeskind como arquiteto após a chegada em São Paulo afastou-o, temporariamente, da prática artística, mas não do contato intenso com a arte e com o meio cultural efervescente da metrópole. Ele voltou a dedicar-se à pintura somente no final da década de 1950 e logo depois, em 1961, recebeu o I Prêmio no Salão Paulista de Arte Moderna. Ganhador do concurso para o cartaz e catálogo da VII Bienal de São Paulo de 1963, Danilo Di Prete é o grande incentivador para Libeskind enviar uma obra para a seleção dessa edição da bienal. A seleção do quadro representou um grande incentivo para Libeskind retomar sua carreira nas artes plásticas, tendo participado a seguir da VIII Bienal de São Paulo, em 1965, e da IX Bienal de São Paulo, de 1967.

Um fato prosaico – a aquisição de um quadro de Di Prete por Libeskind – foi responsável pelo início de uma grande amizade entre os dois artistas. Di Prete, que supervisionava nesse período as montagens das Bienais, convida o amigo para acompanhá-las, o que lhe vale a oportunidade de travar contato com a produção de inúmeros artistas de várias partes do mundo, que participavam das Bienais de São Paulo. Dentre eles, Libeskind destaca a obra do italiano Alberto Burri, apresentada a ele por Di Prete na III Bienal de 1955 e que imediatamente o fascinou.

Capa para revista *Visão*, 21 jun. 1957

Capa para revista *AD Arquitetura e Decoração*, n. 15, 1956

Capa para *Revista de Engenharia Mackenzie*, n. 128, 1956

Artista renomado, Burri participa de exposição "Younger European Painters" no Guggenheim Museum de Nova York, e entre 1953 e 54 realiza mostras individuais na Stable Gallery, também em Nova York. Giulio Carlo Argan relaciona sua obra ao informalismo europeu, descrito assim por ele: "Sacos gastos e rasgados, documentos das dilacerações, das feridas, do sangue que os extermínios, as guerras, os genocídios infligiram à humanidade, e que se encontram entre os momentos mais altos do Informal, por outro lado, que evidencia as possibilidades expressivas da matéria por si mesma, uma matéria inusual para a expressão artística, mas que não elude as características formais e estruturais próprias."

O informalismo como tendência fez sua aparição em 1945, e a arte informal como um todo permitiu uma variedade imensa de direções – *art autre*, *action painting*, *tachisme*, espacialismo, pintura matérica etc. –, que dominam o âmbito artístico nas décadas de 1950 e 1960. A denominação de Arte Informal tem sua origem em um termo designado por Michel Tapié, que foi – segundo Karin Thomas – o primeiro a falar da "transcendência do informal" ao explicar a própria pintura. Segundo Juan Eduardo

Cirlot, "o Informalismo, às custas de sua destruição furiosa, oferece um novo interesse pela matéria, um redescobrimento quase místico do sentido do detalhe da força integrada na menor estrutura, na rachadura, na raiz retorcida. [...] Harmonia de proporções não tem significado nem razão de ser. Atração irracional dos formatos desmesurados em quadros que não se oferecem à contemplação do espectador, mas que o envolvem com uma ânsia de possessão absoluta, obrigando-o a submergir-se no seu universo. [...] Concepção da obra de arte não como representação, mas como elaboração, quer dizer, como objeto real".

S/título, 1971, técnica mista sobre tela, participou de exposição individual na Galeria Documenta, 1971

As composições com sacos, colagens e distintos materiais presentes nas obras de Burri marcaram profundamente Libeskind que, anos mais tarde, também adotaria materiais análogos como elementos de construção técnica dos seus quadros. Processa-se assim uma mudança na pintura de Libeskind, que a partir deste momento começa a rumar do figurativo, herança dos seus tempos de aluno de Guignard, à abstração.

Além de Alberto Burri, Libeskind menciona como referências artísticas Jackson Pollock, Georges Mathieu e Manabu Mabe, entre outros pintores vinculados à arte abstrata informal. Manabu Mabe, japonês de nascimento, será o único com o qual manterá um contato mais próximo, mas indireto, pois este se radica em São Paulo no fim da década de 1940, quando vai se integrar ao Grupo Seibi e participar das reuniões de estudos do Grupo 15. Conforme informa a *Enciclopédia de artes visuais Itaú Cultural,* nos anos 1950 participa das exposições organizadas pelo Grupo Guanabara, recebe o Prêmio Leirner de Arte Contemporânea (1958), é homenageado pela revista *Time* de Nova York com o artigo "O ano de Manabu Mabe", e recebe prêmio de melhor pintor nacional na V Bienal Internacional de São Paulo e o prêmio de pintura na I Bienal de Paris (as três últimas distinções no ano de 1959). Tal como Libeskind, Mabe migra da figuração – sua formação é como autodidata, estudando em revistas japonesas e coleções de livros sobre arte – para o abstracionismo informal.

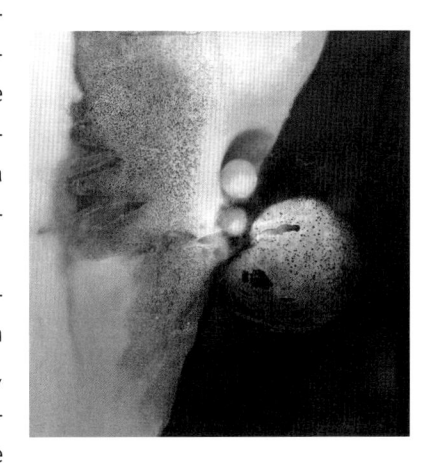

O francês Georges Mathieu, por sua vez, é um dos maiores expoentes do *tachismo* europeu (de *tache*, ou "mancha"). Sua pintura veloz, segundo Argan, "pretende demonstrar que o homem ainda pode, apenas com a sua força, superar a velocidade da máquina. Assim, faz da sua pintura uma espécie de espetáculo, objetualizando seu signo que se faz matéria colorida, estrutura, nó concreto, como expressão de uma energia vitalista, que parece querer materializar seu impulso criativo e fantástico". Em texto de 1959, citado por Frederico Morais, Mathieu afirma que o tachismo foi uma revolução tripla: *morfológica*, ao libertar-se dos últimos

David Libeskind
em sua exposição
na Galeria
Documenta,
São Paulo, 1971

cânones da beleza propondo o "nada" como limite último da liberdade, a partir da qual tudo se torna possível; *estética*, ao sustentar que o improviso passa a reger a quase totalidade do ato criador, banindo definitivamente as noções de premeditação e de referência a um modelo, a uma forma ou a um gesto; e *semântica*, ao inverter, pela primeira vez desde o nascimento da arte, a ordem da relação signo-significado, pois agora o signo precede a significação. Segundo Mathieu, uma fenomenologia radicalmente nova se estabelece no domínio da expressão, exigindo uma estrutura igualmente nova de formas a partir de um "nada total".

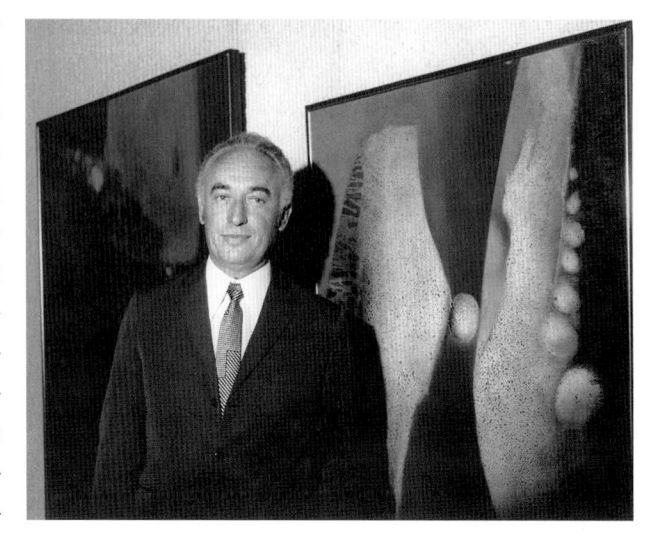

A terceira influência assumida por Libeskind, Jackson Pollock, foi um dos mais destacados representantes do expressionismo abstrato – a *action painting* norte-americana –, que se caracteriza justamente pelo registro da ação sobre a tela, mas sem necessariamente fazer uso do material sobreposto, ou da colagem, como é o caso dos encaminhamentos europeus. O que essencialmente difere a action painting da arte informalista, segundo Juan Eduardo Cirlot, é que esta última está imbuída do "desejo de destruir a técnica pictórica tradicional, ao converter-se numa verdadeira arte da elaboração de uma complexa matéria. [...] E da mesma forma, os artistas do Informalismo projetam suas vivências e suas reações intensas e inclusive paroxísticas nessa matéria que depositam sobre a tela ou tábua ou sobre suportes antes não utilizados, como a prancha de cimento ou uma base de cânhamo".

Pollock, talvez o representante mais conhecido da *action painting* da Escola de Nova York, foi um personagem cheio de idiossincrasias. Apaixonado pela filosofia oriental, leitor de Krishnamurti, da psicanálise junguiana e da poesia de Dylan Thomas, apreciador do jazz e da música experimental de Cage, Feldman e Varèse, ele se interessou indistintamente pela escultura, pelos muralistas mexicanos Orozco e Rivera, pela *Guernica* de Picasso e pelas vanguardas européias, cujos expoentes haviam quase todos imigrado para os Estados Unidos após a ascensão do nazismo. Interessado principalmente pelo automatismo psíquico do Surrealismo, Pollock elabora uma metodologia de trabalho como um ritual – chamado de *dripping* –, que pode ser descrito como o gotejamento da tinta sobre a tela, executado em uma espécie de balé onírico em torno da tela estendida no chão. Sam Hunter, citado por Argan, afirma que o processo busca materializar "sensações pictóricas concretas e imediatas".

Portanto, informalismo é um termo complexo, um tanto ambíguo, empregado com freqüência na segunda metade do século XX para designar genericamente obras de aspectos e conteúdos diversos. E é significativo que uma tendência não figurativa, baseada na criação-destruição, apareça precisamente no momento em que acaba a Segunda Guerra Mundial, quando se apresenta a possibilidade ou necessidade de criar algo totalmente novo, com autonomia e vida própria após toda uma sociedade ser destruída pela guerra. O que aproxima as várias tendências no conceito de arte informal é a preocupação em destacar aquilo que é fundamental para a sua própria existência: a matéria.

Pode-se dizer, portanto, que a arte informal matérica tem a intenção de acabar com uma das questões mais tradicionais da arte: a ilusão. Cria o real da arte e dá-se a realidade do ponto, da linha e do plano, e esse todo é reforçado pela presença inequívoca da matéria. Desta forma, segundo Maria da Graça Marques, denomina-se matérica "a uma pintura na qual o maior interesse recai sobre a matéria e na qual as qualidades texturais assumem valor por si mesmas". Ou ainda, nas palavras de Argan, "situando a arte num nível pré-lingüístico e pré-técnico, a atividade do artista reduz-se ao gesto, a obra à matéria não-formada, mas ainda assim animada e significante. A arte já não tem relação com a sociedade, com suas técnicas e linguagem; é regressão a partir do objeto, existência em estado puro e, como a existência pura é a unidade ou a indistinção de tudo o que existe, na matéria o artista realiza sua realidade humana".

Jânio Quadros na exposição individual de David Libeskind na Galeria Documenta, São Paulo, 1971

Seguindo a tendência internacional, a abstração irá monopolizar as edições da Bienal de São Paulo nas décadas de 1950 e 1960. O impacto das representações estrangeiras que aportam no Parque do Ibirapuera cria um ambiente propício para as correntes abstracionistas brasileiras. Estas, ligadas inicialmente ao construtivismo, se encaminham para grupos distintos, como o concretismo em São Paulo, o neoconcretismo no Rio de Janeiro e, já no fim da década de 1950, o informalismo.

Libeskind, nas décadas de 1960 e 1970, passa a desenvolver sua pintura com base nos preceitos da arte informal e entra para a história da pintura brasileira – segundo o *Dicionário brasileiro de artistas plásticos*, de Carlos Cavalcanti, e na catalogação do Instituto Itaú Cultural – como um artista vinculado à vertente do informalismo matérico. Em entrevista para o jornal *A Gazeta* em 1971, Libeskind declara que "a pintura abstrata é questão de interpretação, é subjetiva. Toda pintura abstrata está relacionada a algo que vimos. [...] Nunca parto de um esboço prévio. Sempre lanço uma mancha acidental sobre a tela e daí parto para um processo minucioso de elaboração até chegar a uma composição geral da tela. Esta elaboração é geralmente alterada diversas vezes, sobrepondo-se uma sobre as outras".

Paisagem do parque (BH), 1947, desenho sobre papel

As manifestações diversas da arte informalista irão fascinar Libeskind que, de um ângulo puramente técnico, passa a empregar certos materiais não pertencentes ao âmbito pictórico ou escultórico tradicional e cuja qualidade essencial é a de ser, em sua maior parte, composta de detritos – madeiras velhas, pedaços de telas gastas, pregos oxidados, serragem etc. Com relação ao processo de elaboração das suas obras, Libeskind utiliza uma grande quantidade de tinta sobre a tela e, a uma "mancha" inicial, agrega diversos tipos de resíduos de materiais como serragem, isopor, areia com diversas texturas, pedriscos, borracha, cola branca de madeira, entre outros. Em busca do equilíbrio da composição, gira o quadro várias vezes durante todo o processo. Depois de tudo misturado ainda trabalha com o pincel para a finalização da obra. Os materiais são transformados até o ponto de não serem mais reconhecíveis e passam a integrar um novo contexto que os dota de um significado que se encontra acima da sua própria qualidade e isso contribui, de grande maneira, para outorgar às obras um intenso caráter dramático.

Em 1971, Libeskind participou de uma exposição individual, na Galeria Documenta em São Paulo, onde expôs 27 telas, das quais 21 foram compradas "a um ritmo incomum", segundo reportagem feita na época pela revista *Veja*, embora ele detestasse dar preço às suas obras e preferisse dar como presente tudo o que pintava. As 27 telas expostas evocavam paisagens submarinas – rochedos cinzentos cobertos de uma tênue vegetação azulada, exemplo de células examinadas ao microscópio, formas circulares estriadas de vermelho e branco e agrupadas em torno de um núcleo. A respeito desse tipo de evocação, escreveu Cirlot, em 1959: "Cremos que é fator integrante a necessidade do homem atual de encontrar novos aspectos ignorados do real, necessidade que o induz a explorar os fundos submarinos e subterrâneos. [...] A sede de 'ver' algo que jamais tenha sido contemplado é a mesma que empurra os artistas a se aprofundarem desde formas conhecidas a outras menos exploradas para lançarem-se a partir destas à assombrosa aventura do movimento no autêntico ignorado."

A busca de Libeskind na pintura, ao contrário do que ocorre na arquitetura, não reside na produção de uma obra depurada, essencial, transparente, clara – em síntese, não busca uma obra que não deixa resíduo. A arquitetura foi um veículo de ruptura com a representação figurativa presente na pintura que Libeskind desenvolveu nos anos de formação em Belo Horizonte. Sua arquitetura sugere uma possível aproximação com as manifestações abstrato-geométricas, como o concretismo paulista ou o neoconcretismo carioca, mas tal relação ou referência não foi buscada racionalmente e nem admitida pelo arquiteto-artista. Libeskind optou por evitar o sentido único da obra, empregando a multiplicidade de significados. Dessa forma, vinculou-se a uma noção mais articulada do conceito de forma ou, como diria Umberto Eco, à "forma como campo de possibilidades".

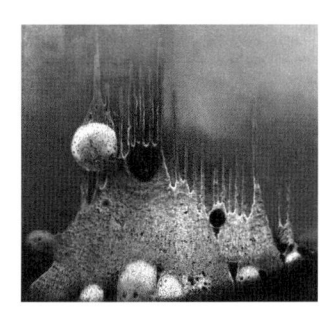

S/ título, 1971, técnica mista sobre tela, participou de exposição individual na Galeria Documenta, 1971

Residência Martin Wurzmann, São Paulo, 1965

perspectiva fachada principal

Arquitetura moderna nas Bienais de São Paulo Com o intuito de divulgar a arte moderna brasileira e internacional, um grupo remanescente do movimento pioneiro da Semana de Arte Moderna, ampliado por representantes da elite paulista e por novos artistas e intelectuais, procurava fundar associações e clubes onde a discussão sobre uma instituição voltada para a preservação e divulgação da arte moderna começava a tomar corpo, inspirada em instituições norte-americanas. No final da década de 1930 o Brasil assistia a um processo de substituição das referências do modelo europeu – que fora, durante os primeiros 20 anos do século passado, a principal fonte de inspiração e de formação dos artistas e da elite paulista – pelo modelo norte-americano. Vários museus latino-americanos, como os Museus de Arte Moderna do Rio e de São Paulo, foram criados tendo o MoMA por modelo e Rockefeller como colaborador.

Rosa Artigas, comentando o momento histórico da criação das Bienais, afirma que, "para impedir que a América Latina se transformasse em área de influência do Eixo, o governo Roosevelt traçou uma política externa que mobilizou o grande capital americano, a indústria cinematográfica, os meios de comunicação, as instituições culturais, os intelectuais e as universidades americanas. O implementador da chamada 'Política de Boa Vizinhança' foi o milionário norte-americano Nelson Rockefeller, dono da Standard

Residência Hermínio Trujillo, Sorocaba, 1956

perspectiva varanda

Oil, presidente do Museum of Modern Art (MoMA) e coordenador da agência especialmente criada para dar curso à política desenhada pelo Estado norte-americano, o Office of the Coordinator of Inter-American Affairs. [...] Esta ação da 'Política de Boa Vizinhança' visava a criar e abrir mercados para os produtos americanos, aprofundar as relações comerciais e financeiras com os países latino-americanos, garantir áreas de influência e impedir o avanço de alemães e italianos em territórios estratégicos. [...] Rockefeller transformou o MoMA num dos centros de irradiação da política cultural e de comunicação para a América Latina. [...] Sua filmoteca distribuiu cópias de filmes e documentários para os cinemas e as instituições culturais situadas ao sul do Rio Grande, valorizando o *American way of life*".

A criação da Bienal de São Paulo está, portanto, relacionada a importantes transformações na sociedade brasileira e, em particular, na sociedade paulistana, que desde o início dos anos 1940 demonstrava alterações significativas no seu padrão de vida. Regina Meyer, comentando o período, entende que o fenômeno possa ser atribuído "ao modelo econômico vigente a partir da eclosão da Segunda Guerra Mundial, quando se observa um incremento na participação da indústria nacional no produto interno bruto. O quadro social também esboça mudanças, conquanto consolida uma classe média consumidora de cultura, outrora reservada a uma minoria de iniciados, geralmente de alto poder aquisitivo".

À frente dessa elite econômica temos a personalidade de Francisco Matarazzo Sobrinho, ou "Ciccillo Matarazzo", como era publicamente conhecido. "Ciccillo, o grande mecenas brasileiro", enaltece Andrea Matarazzo, "foi, sobretudo um criador e inovador cultural. Além do Museu de Arte Moderna e das Bienais, cravou a marca forte de sua competência, paixão e generosidade no Museu de Arte Contemporânea, na Companhia Cinematográfica Vera Cruz, no Teatro Brasileiro de Comédia, no Museu dos Presépios, na construção do conjunto arquitetônico do Parque do Ibirapuera, na instituição de prêmios." É esse personagem ativo e empreendedor que, após liderar a representação dos artistas brasileiros na Bienal de Veneza de 1948, resolve, juntamente com sua esposa Yolanda Penteado, criar uma Bienal Internacional de Artes, equivalente à que conhecera na Itália.

Seu principal interlocutor na empreitada foi o pintor italiano radicado no Brasil Danilo Di Prete. Artista que evolui do figurativo para a abstração – dizia buscar uma "pintura planetária e cósmica", futuro participante da I Bienal de São Paulo onde conquistará o prêmio nacional de pintura, Di Prete foi à Veneza para conhecer sua organização, buscando subsídios para o projeto da Bienal brasileira. Da matriz veio o caráter multidisciplinar, com as artes plásticas, o cinema e a arquitetura presentes em um mesmo evento. O regulamento da Bienal inaugural foi preparado pelos críticos de arte Lourival Gomes Machado e Sérgio Milliet. Para alojar a I Bienal, os arquitetos Jacob Ruchti, Miguel Forte e Luís Saia construíram no antigo Trianon da Avenida Paulista, sob concessão da Prefeitura de São Paulo, um pavilhão provisório de madeira e tijolo para abrigar as exposições internacionais de pintura, escultura e arquitetura.

Residência Luciano Schwarz, Guarujá, 1965. Projeto não construído

perspectiva sala de estar

A tradicional Bienal de Veneza, em sua 25ª edição realizada em 1950, reuniu 22 países e 892 artistas. A I Bienal de São Paulo, inaugurada em 20 de outubro de 1951, contou com a participação de 23 países e 729 artistas e, na edição seguinte, a participação saltou para 33 países. Diante destes dados impressionantes, Andrea Matarazzo salienta a dimensão e o significado do evento, além de sua importância para o desenvolvimento cultural da cidade: "A criação das Bienais marca a inserção de São Paulo no cenário internacional das artes plásticas. O nascimento de novo padrão cultural. A consolidação da descoberta do moderno, do contemporâneo. Da importância de olhar também para o futuro. De buscar o intercâmbio, abrir-se aos ares do mundo, quebrar o provincianismo e o isolamento, projetar culturalmente o país. Estimular a produção artística, identificar tendências e inovações, absorver informações e conhecimentos. Debater, discutir, expor e expor-se."

Le Corbusier foi convidado especial da Seção Geral de Arquitetura da I Bienal de São Paulo e enviou três trabalhos: a Capela de Ronchamp, a Unidade de Habitação de Marselha e o Museu do Conhecimento de St-Dié, conquistando o Grande Prêmio Internacional de Arquitetura. Entre os outros prêmios distribuídos nesta primeira edição, vale a pena destacar o Prêmio de Melhor Residência atribuído a Henrique Mindlin pela casa de campo de George Hime, em Petrópolis, de 1949, e a Menção Especial recebida por Oswaldo Bratke por sua residência e estúdio no Morumbi, de 1951.

Residência Abdala Abrão, Goiânia, 1966

fachada principal

No mesmo ano, contaminado pelo clima de euforia cultural com o sucesso da I Bienal, o governador Lucas Nogueira Garcez montou uma comissão, presidida por Ciccillo Matarazzo, para organizar as festividades comemorativas do IV Centenário da Fundação da Cidade. Sua principal atribuição era programar e executar obras para abrigar feiras e grandes exposições e, posteriormente, ser a sede definitiva da Bienal. Os grandes terrenos arborizados do velho parque municipal, em uma área aproximada de 180 ha, foram destinados a acolher as futuras construções.

Ainda correndo o ano de 1951, a encomenda coube ao arquiteto Oscar Niemeyer, que liderou uma equipe de arquitetos paulistas formada por Zenon Lotufo, Hélio Uchoa Cavalcanti e Eduardo Kneese de Mello. Ao grupo – que contou também com a colaboração dos arquitetos Gauss Estelita e Carlos Lemos – coube a elaboração do plano de massas do novo parque e o projeto dos pavilhões. O esforço das comemorações do IV Centenário deixaria como legado o primeiro conjunto arquitetônico moderno público construído na cidade de São Paulo, além de consagrar a nova arquitetura brasileira na cidade, representando um marco no grau de desenvolvimento econômico do Estado.

Na II Bienal, associada às festas do IV Centenário e instalada no Pavilhão das Nações no Ibirapuera, foram criadas salas especiais para uma retrospectiva da obra de Walter Gropius (Grande Prêmio Internacional de Arquitetura), organizada pelo próprio arquiteto e pelo Institute of Contemporary Art of Boston, que exibiu ao todo 44 obras sob quatro temas: "As primeiras construções 1911-1924", "Construções 1925-1949" (em que apresentou as casas para os professores da Bauhaus), "Construções pré-fabricadas e formas industriais" e "Conjuntos residenciais (que contava com a residência do arquiteto, de 1938, projeto em parceria com Marcel Breuer) e Planificações urbanísticas". Dentre as premiações, foi atribuído o Prêmio Jovem Arquiteto a Sérgio Bernardes pela Residência Lota de Macedo Soares, de 1953, que também apresentou as casas Jadir de Souza, de 1951, e Paulo Sampaio, de 1953. As residências internacionais premiadas foram a Glass House, de Philip Johnson, de 1949, e Walker House, de Paul Rudolph, de 1953 – que também apresentou a Casa de Inverno, de 1951 e a Casa e Estúdio de Craig Ellwood, de 1951.

Uma excepcional seleção de residências fez parte desta Bienal, o que acabou influenciando toda uma geração de arquitetos brasileiros em um momento em que buscavam a consolidação de uma linguagem própria. Entre as residências projetadas por arquitetos brasileiros, destacam-se a Casa Enzo Segri, de Miguel Forte e Galiano Ciampaglia, de 1953, e a Casa das Canoas, de Oscar Niemeyer, de 1952. E dentre as residências projetadas por arquitetos estrangeiros que merecem destaque – com exceção da residência Rose Seidler em Sydney, Austrália, projetada por Harry Seidler em 1951 –, todas foram realizadas nos Estados Unidos: a Ceasar Cottage de Marcel Breuer, de 1951; a Casa e Estúdio de Charles Eames, de 1949; a Residência Warren Trimaine, de Richard Neutra, de 1948; a Residência Farnsworth, de Mies van der Rohe, de 1950; e a Residência Herbert Jacobs, de Frank Lloyd Wright, de 1948.

Em 1955, a III Bienal não realizou a Exposição Internacional de Arquitetura. O motivo alegado pela comissão organizadora foi que o curto espaço de tempo entre a II e III Bienais não atendia às necessidades de exercer uma autocrítica devido ao acelerado ritmo de transformações da sociedade. Na IV Bienal, realizada em 1957, o projeto ganhador do concurso para o Plano Piloto de Brasília, de autoria de Lúcio Costa, ganha uma sala *hors-concours*, onde também são apresentados os projetos de Oscar Niemeyer para o Palácio da Alvorada e para o Congresso Nacional. O programa da residência unifamiliar foi muito bem representado pelo arquiteto brasileiro Oswaldo Bratke – com a Residência Oscar Americano, de 1952 – e pelo arquiteto norte-americano Craig Ellwood, com a Residência em Malibu, 1955.

Ainda nessa Bienal, Libeskind participou com os projetos do Conjunto Nacional e da Residência José Felix Louza, projetos de 1954 e 1952, respectivamente. Nesse mesmo período, Mies van der Rohe – que participou como júri na IV Bienal – desenvolveu o projeto não construído para a sede do Consulado dos Estados Unidos na Avenida Paulista e visitou as obras do Conjunto Nacional. Na V Bienal, realizada em 1959, Mies foi homenageado com uma sala especial e, no setor brasileiro, a sala especial foi dedicada a Burle Marx.

Para reforçar a importância que a Bienal assumia como um evento que agitava o meio cultural da sociedade paulistana da época, vale lembrar o relato do arquiteto Salvador Candia, mencionado por Marlene Milan Acayaba: "Durante as Bienais o trabalho nos escritórios era suspenso. Pela manhã, os 'iniciados' assistiam a filmes franceses e italianos projetados no Cine Marrocos, à tarde ciceroneavam os convidados e à noite freqüentavam religiosamente a Bienal."

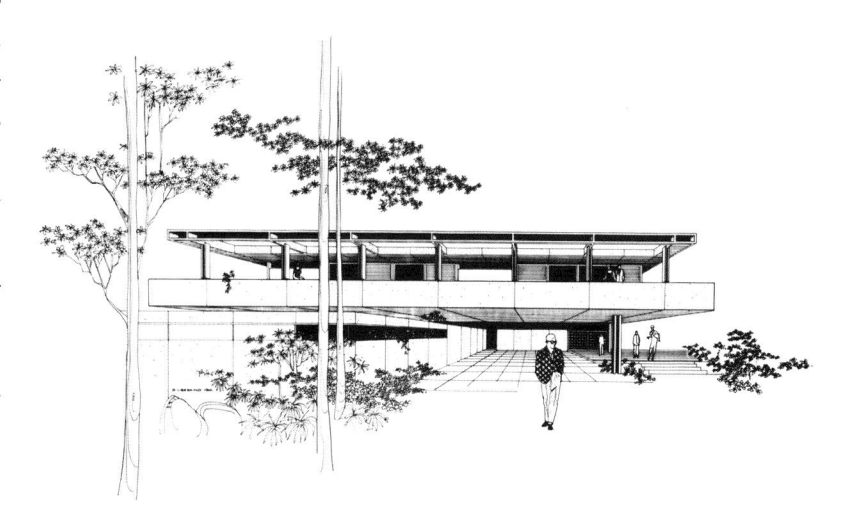

Residência Vitor Mattar, São Paulo, 1966

perspectiva fachada principal

**Residência
Vitor Mattar,
São Paulo, 1966**

perspectiva fachada posterior

perspectiva jardim de inverno

corte longitudinal

planta pavimento superior

planta pavimento térreo

53 Capítulo 2

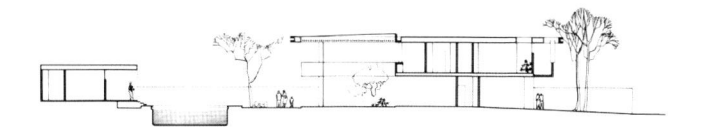

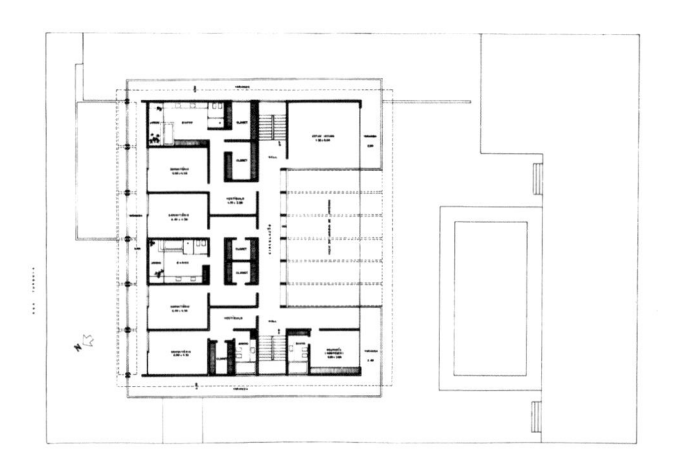

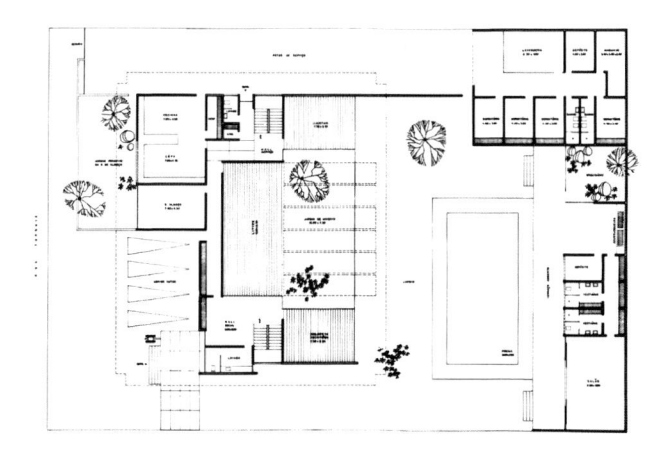

Residência Carlos Vailati, São Paulo, 1967

fachada principal

Novo paradigma do habitar moderno David Libeskind, formado pela Escola de Arquitetura da Universidade Federal de Minas Gerais, não estava diretamente vinculado às principais escolas de arquitetura da cidade – a Faculdade de Arquitetura Mackenzie e a FAUUSP, que haviam sido abertas, respectivamente nos anos de 1947 e 1948. Pode-se dizer, pela origem de sua escola, que recebeu uma formação muito mais ligada à Escola de Belas Artes do Rio de Janeiro. Porém, seu desenvolvimento profissional e, conseqüentemente, o maior volume de sua produção, se deu na cidade de São Paulo, que a partir deste momento cada vez mais se abria ao exercício profissional dos arquitetos. A habitação unifamiliar – um dos grandes temas da arquitetura do século XX, com a habitação coletiva e a cidade – foi, sem dúvida, o universo de desenvolvimento dessa arquitetura, na qual os edifícios e objetos estavam imbuídos da idéia de progresso e otimismo próprios dos anos 1950.

Essa década foi um período único para os jovens arquitetos materializarem em suas carreiras as oportunidades para a expressão criativa e original: não houve nem antes, nem depois uma receptividade tão positiva do desenho moderno por parte da opinião pública. O termo "contemporâneo" foi largamente utilizado na Inglaterra e nos Estados Unidos para descrever a nova tendência para o desenho moderno, caracterizando edifícios e objetos de uso doméstico que apresentavam um olhar para o futuro, em lugar do tradicional, refletindo a confiança de parte da sociedade nos benefícios do progresso.

O Brasil da década de 1950 vivenciava um período de vertiginoso crescimento econômico e urbano, que rapidamente estimulou a arquitetura da habitação unifamiliar com o enriquecimento das camadas médias da população. Era também um período de grande intercâmbio cultural, quando o panorama da arquitetura nacional se povoava de personagens estrangeiros que aqui se estabeleceram durante a Segunda Guerra Mundial e em muito contribuíram com seus conhecimentos técnicos e teóricos para a evolução da arquitetura residencial, caso de Lina Bo Bardi – a Casa de Vidro é de 1951 –, Bernard Rudofsky e Daniele Calabi, entre outros.

Revistas nacionais especializadas como *AD – Arquitetura e Decoração*, *Acrópole*, *Habitat* (dirigida por Lina Bo Bardi), *Casa e Jardim* e *Brasil Arquitetura Contemporânea* (que Libeskind dirigiu no ano de 1957), e estrangeiras, como a francesa *L'Architecture d'Aujourd'hui*, traziam as publicações da arquitetura realizada naquela década e criavam, com isso, o motivo condutor da rápida expansão da cultura urbana, destacando o potencial da contribuição da arquitetura moderna para a habitação unifamiliar e para o novo modo de morar. Assim

Residência Carlos Vailati, São Paulo, 1967

perspectiva fachada lateral

como outros arquitetos brasileiros, Libeskind teve, principalmente na década de 1950, vários projetos publicados em revistas internacionais, que deram amplo destaque para a arquitetura brasileira. Um exemplo é o da revista francesa *L'Architecture d'Aujourd´hui*, que dedicou vários números especiais para a produção da arquitetura brasileira – setembro de 1947, agosto de 1952, julho de 1948, entre outros –, com destaque para a produção de residências brasileiras.

Outro exemplo significativo foi o da revista americana *Arts & Architecture*, que sob a direção de John Entenza, no período de 1938 até 1962, ajudou a influenciar e a modelar a opinião pública sobre arquitetura, arte e design. Esta publicação assumiu o patrocínio da causa moderna na arquitetura assim como na música, nas artes plásticas (pintura, escultura e cerâmica) e no design de mobiliário e utensílios domésticos, e acabou se tornando referência também para outras revistas do gênero por todo o mundo. A revista buscava uma ampla cobertura cultural, tanto norte-americana como internacional, com uma decidida orientação voltada às vanguardas, à arte abstrata e à música contemporânea, tendo entre seus colaboradores figuras que contribuíram decisivamente para construir a estética desse período. Um dos exemplos mais expressivos foi o renomado fotógrafo Julius Shulman, que após impressionar Richard Neutra com fotos de sua casa em Hollywood, deslanchou como um dos maiores artistas da fotografia de arquitetura, registrando com refinado formalismo os maiores arquitetos dos Estados Unidos, como Rudolph Schindler, Frank Lloyd Wright e Pierre Koenig. Suas fotos da Case Study House 22, de 1960, tornaram-se referência para a fotografia de arquitetura no mundo.

Entenza idealizou uma das mais bem-sucedidas iniciativas para divulgar e, ao mesmo tempo, experimentar novas maneiras de construir e morar. Em 1945, lança por meio da *Arts & Architecture* um ambicioso programa chamado The Case Study Houses, que no transcorrer dos 19 anos seguintes construiu nos arredores de Los Angeles, com o patrocínio de empresas do ramo da construção civil, 24 dos 36 projetos publicados pela revista. A Case Study House 18, por exemplo, projeto de Craig Ellwood (1958-59), con-

Fórum da Estância de Socorro, Socorro, 1962

vista externa

tou com 49 empresas envolvidas na sua construção divididas em dez categorias de fornecedores. Cada projeto publicado demorou em média de dez a 12 meses para se transformar em obra concluída publicada. Durante esse período eram publicadas sistematicamente as diversas etapas do processo (fundações, estrutura, fechamentos e convite para visitação), para educar e informar o leitor como se faziam as novas casas americanas. Depois de finalizadas, as casas eram abertas à visitação pública durante os sábados e domingos, pelo período de um mês.

Os arquitetos eram especialmente convidados para o programa e tinham como obrigação básica experimentar as novas possibilidades construtivas para residências oferecidas pelos novos padrões de industrialização obtidos no pós-guerra. O programa desmistificou e popularizou a estética do movimento moderno, assim como engrandeceu mundialmente o *lifestyle* californiano. O grande impacto causado não só atingiu uma mudança no raciocínio projetual da habitação unifamiliar, como vinculou a idéia de que a estética moderna também era aplicada ao mobiliário e a outros objetos de uso doméstico.

Entre os arquitetos que participaram deste programa figuravam nomes célebres, como Richard Neutra, que projetou uma Case Study House para o próprio Entenza. A carreira de Neutra havia chegado ao seu ápice nos anos seguintes à Segunda Guerra Mundial com a construção das casas Kaufmann Desert, em Palm Springs (1946-1947) e Tremaine, em Santa Bárbara (1947-1948), dois dos mais significativos exemplares do *lifestyle* californiano. Mas também uma geração de jovens arquitetos que ganhariam grande destaque nos anos seguintes seria convocada por Entenza, reforçando o caráter vanguardista da *Arts & Architecture*: Craig Ellwood (premiado na II Bienal de São Paulo, de 1953), que projetou três aclamados projetos para o programa, Charles e Ray Eames, Edward Killingsworth e Pierre Koenig, premiado na VI Bienal de São Paulo, de 1961. Este último foi o primeiro a desafiar a tradição construtiva residencial norte-americana, propondo como alternativa a produção industrial com tecnologias mais sofisticadas desenvolvidas durante a guerra. Isso implicou, por exemplo, no uso da estrutura metálica, exemplificado pelas Case Study Houses 21 e 22, e Bailey e Stahl Houses, construídas em 1959 e 1960, respectivamente. Koenig participou da IV Bienal de São Paulo, no ano de 1957.

As casas produzidas neste período possuem a força de simbolizar as características singulares da década de 1950, onde convergem o otimismo e a inocência daqueles anos. Tiveram a coragem de propor a reorganização dos espaços internos em função da superação dos velhos estereótipos domésticos e familiares da conservadora sociedade americana. Nesta arquitetura, profundamente influenciada por Mies van der Rohe, tudo gira em torno do conceito, muito difundido por ele, de espaço fluido e contínuo (*free flow of space*), predominantemente horizontal. Essa influência passa também pelo raciocínio compositivo, construtivo e estrutural, assim como pelo esforço no controle total do projeto.

A diluição dos limites entre interior e exterior, e a luminosidade e ventilação generosas que foram propostas pelos arquitetos envolvidos com os projetos dessas casas, estabeleceram um novo padrão de morar na Califórnia, reforçado pela não compartimentação do programa residencial através da associação dos espaços e das atividades cotidianas. Isso significava um estímulo para um estilo de vida menos formal, na conquista de uma planta flexível que liberasse grandes planos abertos, facilitada pelos novos processos industriais que ofereciam grandes vãos, obtidos por estruturas metálicas levíssimas e, portanto, muito mais acessíveis e compatíveis para o uso na escala da residência unifamiliar. O que se buscava era a simplicidade em todas as etapas – no projetar, no construir e no morar. Para isso se buscou a diminuição dos elementos que compõem o processo, optando-se pelos industrializados e padronizados, facilitando assim a literal montagem da casa. Outro fator foi a preocupação com a integração da arquitetura a um novo e emergente desenho de mobiliário e de utensílios domésticos, o que facilitou a reordenação das funções e das dimensões das novas casas.

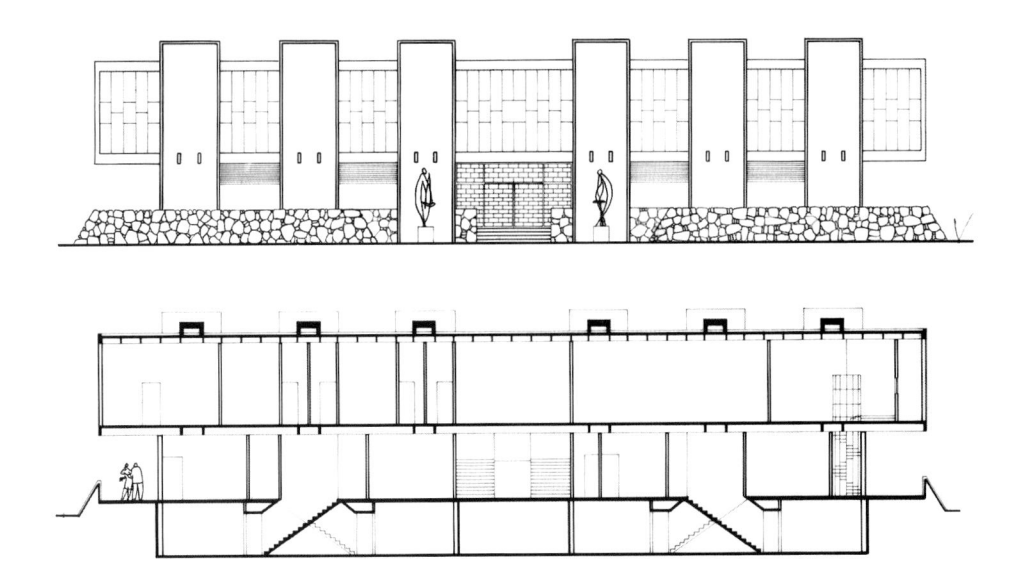

Além da forte penetração mundial obtida pela revista, o sucesso do programa, como fator de influência de toda uma geração de arquitetos, deu-se pelo universalismo das questões levantadas pelo programa The Case Study Houses na procura de um

Fórum da Estância de Socorro, Socorro, 1962

elevação

corte longitudinal

Residência Bahij Gattas, São Paulo, 1969

perspectiva aérea

novo modo de morar coerente com a sociedade do pós-guerra. Universalismo que permitiu a diversos arquitetos brasileiros encontrar ali a inspiração para o desenvolvimento de suas obras particulares, adequadas ao seu meio específico. Trata-se, contudo, de uma relação cultural ainda negligenciada pela crítica e pela história da arquitetura brasileira, que privilegiam os laços da nossa arquitetura com a européia. Uma das exceções, Hugo Segawa, em seu livro sobre a obra de Oswaldo Bratke, menciona essa onda de transformação do morar que varreu o Ocidente no pós-guerra e cita uma declaração de Pierre Koenig, um dos arquitetos do programa, dada no início dos anos 1990: "Todos nós, cujas carreiras começaram pouco antes ou pouco depois da Segunda Guerra Mundial, estávamos fazendo isso. Estávamos destruindo os valores estabelecidos. Estávamos questionando o que era a casa, o que era o lar. Era um processo destrutivo assim como um processo construtivo."

É no uso dos planos verticais e horizontais, na busca do espaço fluido, na diluição dos limites entre espaço interior e exterior, no uso das aberturas generosas, na não compartimentação do programa residencial através dos espaços e das atividades cotidianas, que o raciocínio projetual presente nas habitações unifamiliares de Libeskind se aproxima da arquitetura do novo estilo de vida californiano, destacando a obra de Richard Neutra como uma referência particular. Essas características descritas anteriormente também estão muito presentes em vários aspectos da obra de outros importantes arquitetos brasileiros que se vincularam, direta ou indiretamente, a essa arquitetura, como, por exemplo, Oswaldo Arthur Bratke, primeiro latino-americano publicado na revista, com sua Casa-Estúdio da Rua Avanhandava, na edição de outubro de 1948 (esta também foi sua primeira aparição em um periódico internacional). Ganha contornos mais precisos toda uma geração de arquitetos brasileiros que, além do desenvolvimento do programa da habitação unifamiliar, também estava envolvida com o desenho do mobiliário e com a produção gráfica e artística.

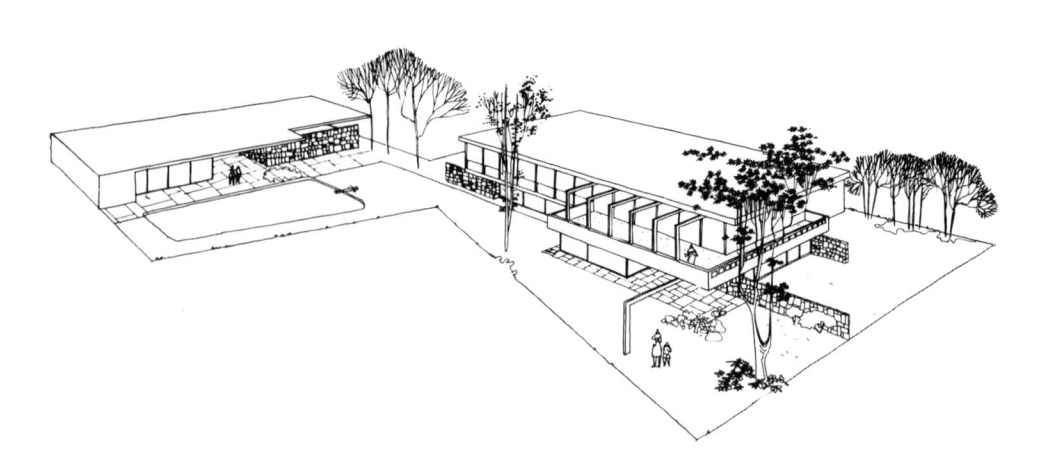

Por fim, é importante lembrar que São Paulo apresentou uma condição peculiar que possibilitou a existência de uma arquitetura expressiva baseada na habitação unifamiliar. A Companhia City, empresa inglesa de urbanização que se instalou na cidade em 1911, adquiriu grandes áreas nas regiões sul e oeste da cidade, onde projetou e implantou loteamentos exclusivamente residenciais dentro do conceito da cidade-jardim inglesa. Dentre as principais características desses bairros destinados a uma clientela de alto poder aquisitivo – terrenos amplos, áreas arborizadas e sem muros etc. –, destaca-se o traçado sinuoso do sistema viário, que garantia o uso exclusivo para trânsito local, resguardando-o do movimento da cidade. Em 1917, os urbanistas da Companhia City, os ingleses Barry Parker e Raymond Unwin, projetaram o Jardim América, que foi o primeiro bairro a ser concebido segundo esses princípios urbanísticos. Na seqüência, foram projetados os bairros do Pacaembu e do Alto da Lapa. Anos mais tarde, como prolongamento natural da região do Jardim América e adotando as mesmas características, surgiram outros loteamentos, como o Jardim Europa, Jardim Paulistano, Cidade Jardim, Jardim Guedala, Morumbi e Alto de Pinheiros.

Em meio às transformações profundas que alavancaram a pequena cidade à condição de metrópole – industrialização, verticalização, grandes avenidas, praças, parques, pontes, viadutos, expansão da periferia etc. –, áreas de remanso concebidas e realizadas para as camadas médias e abastadas da sociedade permitiriam o desenvolvimento de uma arquitetura residencial moderna. Nas palavras de Marlene Acayaba, "mansões começaram a ser executadas nos bairro-jardins a partir de uma nova ordem domiciliar. Casas modernas eram projetadas por arquitetos modernos". Arquitetos como Gregori Warchavchik, Rino Levi, Arthur Bratke, Vilanova Artigas e outros seriam seguidos posteriormente por uma nova geração de arquitetos que, ao longo dos anos 1950 e 1960, desenvolveriam amplamente o programa da residência unifamiliar.

Grupo Escolar, Santa Cruz do Rio Pardo, 1963

vista externa

Grupo Escolar, Santa Cruz do Rio Pardo, 1963

planta pavimento inferior

planta pavimento superior

corte longitudinal

pátio

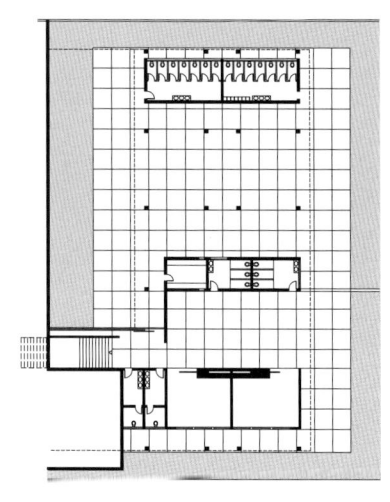

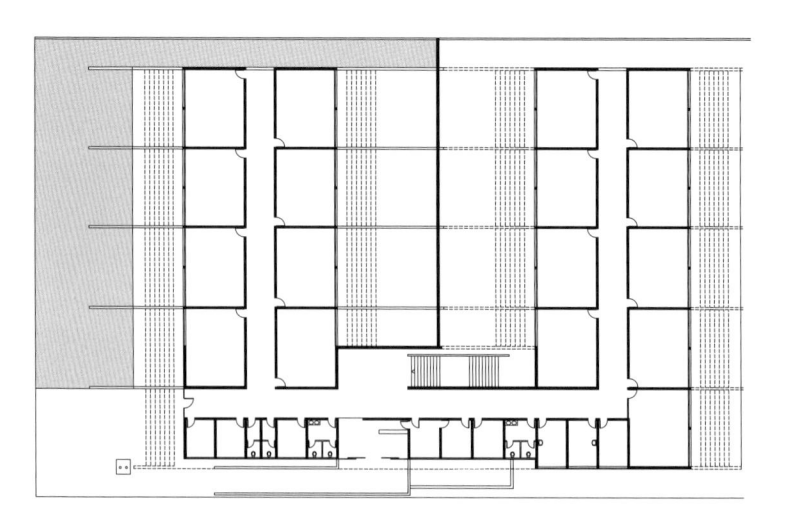

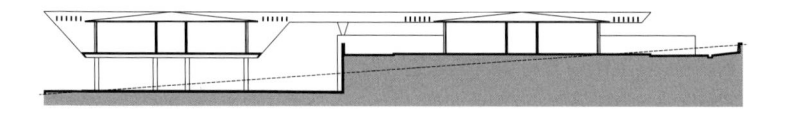

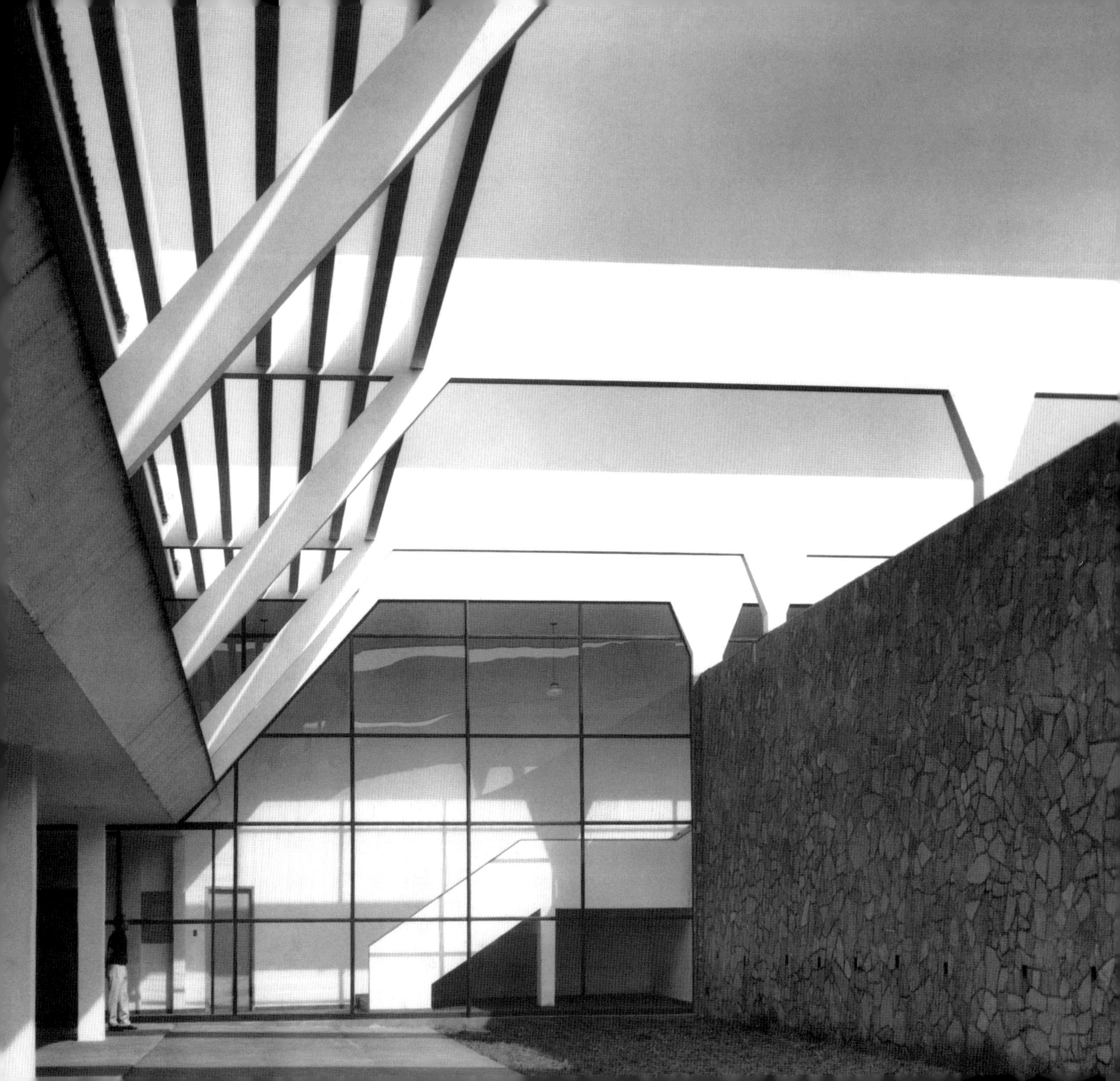

Obras e projetos de David Libeskind

Conjunto Residencial Refinaria de Petróleo União, Capuava, 1954

maquete

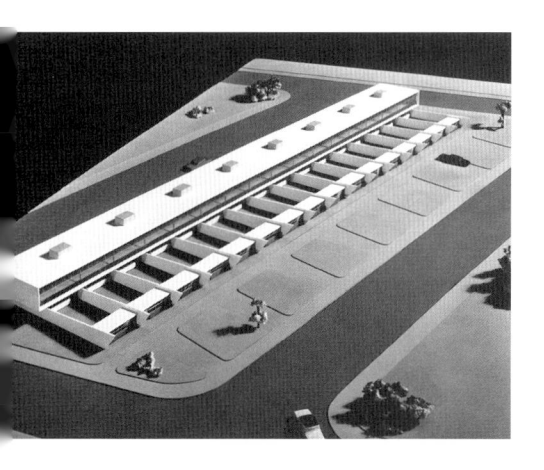

"O projeto é sempre uma síntese. Por conseguinte, tanto a intuição como o equacionamento dos dados objetivos deve ocorrer concomitantemente. Nesta duplicidade de coordenadas (engenho e arte) é que reside precisamente a dificuldade da arquitetura. Tanto mais capaz será o arquiteto quanto conseguir atender adequadamente a ambas coordenadas. Acontece apenas que, mesmo para o equacionamento dos dados objetivos, a intuição sempre deve estar presente como força criadora, necessária ao encontro das soluções."

Sylvio de Vasconcellos

O Edifício São Miguel, de 1953, foi o projeto que inaugurou a produção arquitetônica de David Libeskind em São Paulo. Também conhecido como Edifício Garças, situado à Avenida São João, no bairro de Santa Cecília, foi seu primeiro projeto de edifício para apartamentos. A obra foi feita a convite de Miguel da Rocha, dono do Banco da Lavoura de Minas Gerais com sede em Belo Horizonte e pai de Antonio Maurício da Rocha, amigo de Libeskind da época da escola de arquitetura, para quem, anos mais tarde, realizaria também um projeto residencial.

No mesmo ano, Libeskind desenvolveu o projeto para o Posto de Puericultura Padrão em Sorocaba, mais uma vez em parceria com o engenheiro Antonio Maurício da Rocha. Este projeto foi doado para a LBA – Legião Brasileira de Assistência, vinculada ao Estado de São Paulo sob o governo de Lucas Garcez, fato que propiciou a encomenda do projeto do Hospital Infantil de Sorocaba no ano seguinte, em 1954. Os contatos travados com os médicos e professores do hospital acabaram gerando futuras encomendas para Libeskind, como as residências Spartaco Vial e Herminio Trujillo, ambas de 1956, na cidade paulista de Sorocaba.

Em 1954, no mesmo ano em que venceu o concurso do Conjunto Nacional, Libeskind desenvolveu também o projeto do Conjunto Residencial da Refinaria de Petróleo União, em Capuava, dando início a uma grande quantidade de projetos de residências

**Banco Crefisul,
Porto Alegre, 1966**

elevação frontal

vista externa

planta terceiro
pavimento

agência no
pavimento térreo

vista aérea

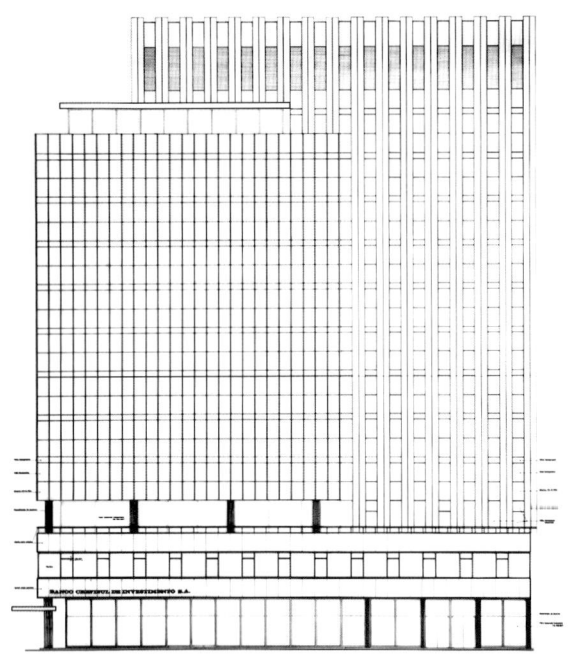

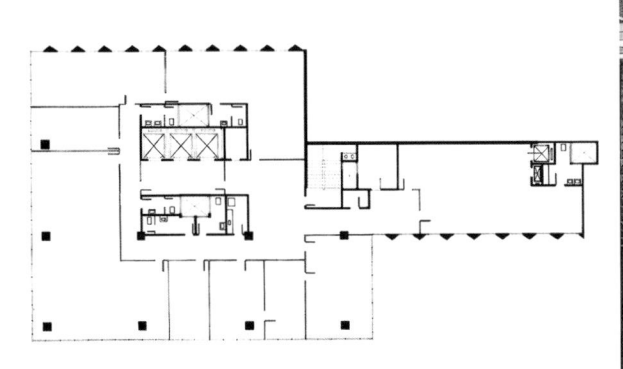

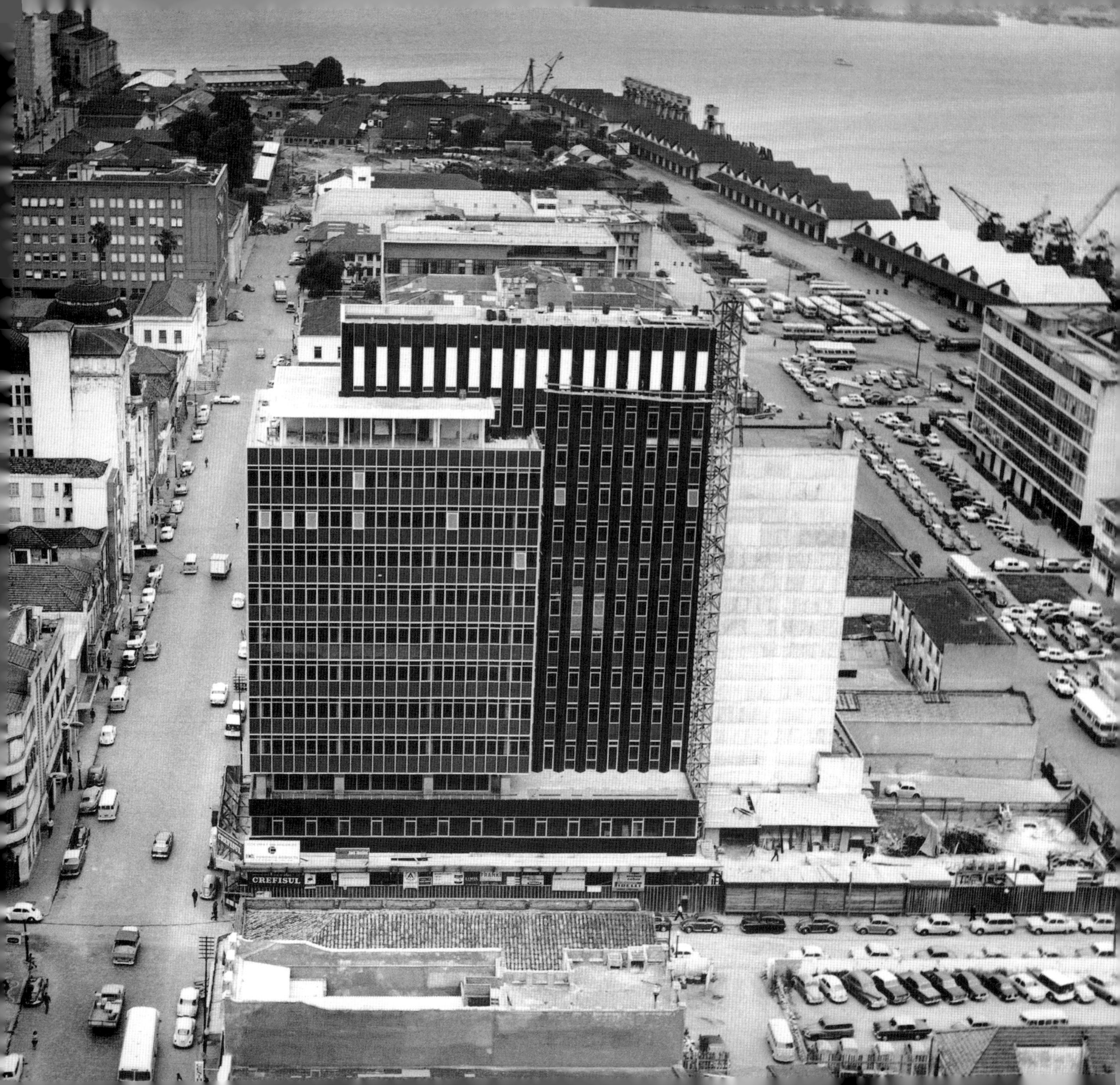
CREFISUL

Obras da Residência Carmelo Larocca. David Libeskind, Nelson Borsali (Construtora Aresta) e Carmelo Larocca, 1956

Lançamento da pedra fundamental do Posto de Puericultura em Sorocaba, 1954. David Libeskind é o terceiro, da esquerda para a direita

que foram projetadas entre os anos de 1956 e 1961, ano do projeto de sua própria residência no bairro do Pacaembu. Libeskind seguirá projetando residências com bastante regularidade até o final da década de 1980.

O Centro Médico Itacolomi, de 1958, é seu primeiro projeto de edifício no bairro de Higienópolis. Uma série de edifícios residenciais será realizada nesse bairro a partir de então – os edifícios Arper (1959), Arabá, Alomy e Veiga Filho (1961), Jardim Buenos Aires (1962) e Pernambuco (1963). A produção de projetos para edifícios de apartamentos de Libeskind volta a se intensificar nas décadas de 1970 e 1980 para os bairros de Santa Cecília e Perdizes, seguindo o vetor de evolução urbana da cidade. São construídos os edifícios José Marcondes Machado (1970), Maratauá (1971), San Remo (1972), Capitel, Casablanca e Marbella (1974), Brasília e Porto Fino (1976), Marc Chagall e Square Garden (1980), Itacuruçá (1981), Belas Artes e Itanhanguá (1985).

Libeskind também realizou uma série de outros projetos comerciais, institucionais e residenciais em São Paulo e em outras cidades, como Sorocaba, Goiânia, Itu e Guarujá. Cabe destacar as agências do Banco do Brasil em Araraquara (1955) e São Paulo (1964) e o edifício da sede do Banco Crefisul, em Porto Alegre (1966), que gerou as encomendas para as agências do mesmo banco em Curitiba (1970) e Salvador (1971).

Para a sede do Banco Crefisul, Bruno Giorgi foi especialmente convidado para realizar uma escultura em mármore de Carrara, implantada no generoso recuo criado por Libeskind. Bruno Giorgi trabalhou nessa escultura em sua casa-ateliê na cidade italiana de Carrara e sobre essa realização – em carta para Leontina Ribeiro, de maio de 1970, citada por Piedade Grimberg – declarou: "Agora de volta em Carrara peguei firme no acabamento da obra que se destina a Porto Alegre. Trata-se de uma grande escultura em mármore (cerca de 10.000 kg) a qual me foi encomendada por um banco daquela cidade e que, de acordo com o contrato, terei de entregar pessoalmente antes do fim de agosto."

Ainda no ano de 1961, Libeskind desenvolveu, com uma equipe formada pelos arquitetos Majer Botkowski, Israel Galman, Jorge Wilheim e Jorge Zalszupin, o projeto para o Clube Hebraica, em São Paulo. No ano seguinte projetou o Fórum da Estância de Socorro, em Socorro, realizado pelo Instituto de Previdência do Estado de São Paulo, e a seguir, em 1963, um Grupo Escolar, na cidade de Santa Cruz do Rio Pardo. Em 1970, Libeskind desenvolveu proposta não construída para a remodelação da Praça Princesa Isabel, em São Paulo, que contaria com um teatro ao ar livre com capacidade para 4 mil pessoas. No mesmo ano, assumiu o cargo de diretor de planejamento da Cohab, a Companhia Metropolitana de Habitação de São Paulo.

Como era usual no período de consagração de nossa arquitetura moderna, a obra de Libeskind conta com contribuições ligadas a iniciativas complementares à arquitetura – caso das lojas de móveis e objetos modernos Ambiente, Artodos, Studio D'Arte Palma (dos arquitetos Giancarlo Palanti e Lina Bo Bardi), e Branco e Preto (dos arquitetos liderados por Miguel Forte) – e a colaboração de profissionais renomados, como Roberto Burle Marx, José Zanine Caldas e Joaquim Tenreiro, em especial este último, que através do seu mobiliário contribuiu para o renascimento do artesanato de qualidade, preparando o caminho para a fabricação futura de um mobiliário moderno de excelência. Algumas vezes as colaborações se complementavam, como ocorreu na residência Jacks Rabinovich, de 1960, da qual Burle Marx e Tenreiro participaram do projeto, a convite de Libeskind. Zanine iniciou sua colaboração na obra de Libeskind com a execução da maquete para o Conjunto Nacional, mas foi como paisagista que sua participação se deu com maior freqüência.

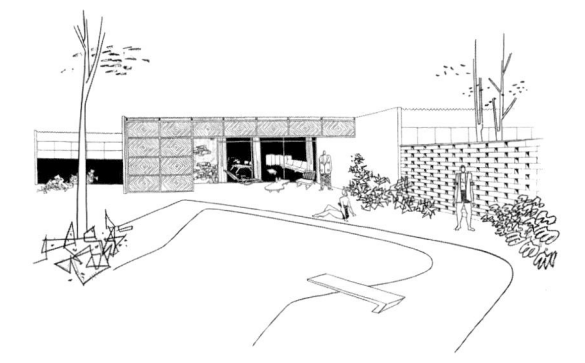

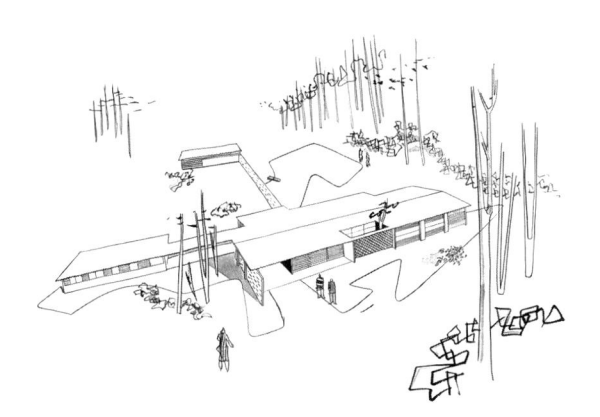

Posto de Puericultura, Sorocaba, 1953

perspectiva fachada posterior

perspectiva aérea

Residências unifamiliares A seguir serão apresentados 12 projetos de residências unifamiliares de David Libeskind, realizadas entre os anos de 1952 e 1983. Eles foram selecionados na obra geral do arquiteto tendo como critérios a constatação da capacidade de síntese que essas residências apresentam, em relação à obra com-

**Residência
Ângelo Aurélio
Rezende Lobo,
Belo Horizonte,
1952**

fachada principal

pleta; o fato de serem obras residenciais unifamiliares, nas quais as restrições impostas pelo cliente e pelo lugar costumam ser menos determinantes que em outros programas; e o fato de terem sido construídos e, em sua maioria, publicados, o que implica em uma maior aceitação dos resultados obtidos.

A investigação da produção de um arquiteto brasileiro pouco estudado, por meio da análise das obras residenciais unifamiliares, visa chegar a alguns princípios projetuais que nortearam a sua produção, que se deu dentro do universo da arquitetura moderna brasileira em um determinado período. Nesta análise procurou-se identificar não só o método, mas também as características mais marcantes e recorrentes dessa arquitetura, e demarcar sua relação com as referências já consolidadas da arquitetura das décadas de 1950 e de 1960 no Brasil. Ou seja, buscou-se posicioná-la dentro do campo das idéias hegemônicas, mas fundamentalmente circunscrever o que seria um pensamento arquitetônico específico, vinculado a uma obra construída particular.

Da análise desses 12 projetos de habitação unifamiliar, procurou-se, a partir do objeto real, construído e inserido no contexto físico do seu território, encontrar os indícios que levaram à construção desse pensamento. Por não se tratar de um estudo geral sobre a obra de Libeskind – entendendo por obra o conjunto completo dos seus projetos –, há que se aceitar algumas limitações sobre o alcance deste trabalho. Contudo, um estudo sobre projetos selecionados permite, precisamente pela redução do campo abarcado, uma aproximação mais precisa de alguns aspectos da sua arquitetura, que se acredita serem os mais relevantes.

Este estudo tem como intenção limitar-se ao que é próprio do projeto. e apontar a coerência em cada obra, afora sua originalidade. Portanto, não se pretende focar um personagem, mas questões específicas do projeto arquitetônico e, neste caso, a concordância entre uso, relações espaciais e o que disso deriva – os planos, a geometria, as proporções, os módulos, as relações volumétricas, os espaços configurados, as técnicas construtivas e o tratamento dos materiais.

Segundo Carlos Eduardo Comas e Miquel Adriá, em livro de 2003, "em todo projeto arquitetônico, para se fazer uma casa é necessário um lugar, um cliente (com dinheiro) e um programa. No caso doméstico, estes condicionantes estão filtrados mais pela orientação cultural e ideológica dos seus autores do que por temas de maior complexidade programática. [...] Dizia Vittorio Gregotti que os programas residenciais já não são desafio para o arquiteto, pelo que toda a proposta está encaminhada para uma definição estética e espacial. Sem um bom cliente não pode existir um bom projeto, pois não é à toa que mais da metade dos arquitetos sejam seus próprios clientes e o resto sejam proprietários afortunados interessados em cultura. Para alguns, o cliente fiel é a oportunidade esperada para tornar possível os desejos projetuais".

A seleção das casas é apresentada a seguir em ordem cronológica. As datas indicadas são, sempre que possível, relativas ao ano do desenvolvimento de cada projeto.

Residência Ângelo Aurélio Rezende Lobo, 1952 Segundo projeto construído do arquiteto, o plano para esta residência foi concebido no período em que David Libeskind manteve um pequeno escritório em Belo Horizonte, durante os dois últimos anos de sua formação na escola de arquitetura.

Em um terreno com desnível acentuado, Libeskind constrói um muro de arrimo que divide o lote em duas partes. A primeira parte, destinada ao jardim frontal, acompanha a topografia original do terreno; a segunda parte, na cota mais alta, recebe uma plataforma na qual se implanta a casa, apoiada sobre o muro de arrimo que a separa do chão. A garagem se acomoda sob o volume suspenso do escritório, apoiado em uma única coluna.

A planta desta casa, em forma de "L", desenvolve-se em torno de um jardim interno e paralelo à varanda de acesso principal. Esta varanda – um espaço de transição entre o exterior e o interior da residência – funciona como um vestíbulo externo, porém sombreado.

Libeskind ensaia nesta casa um recurso que irá se repetir em outros projetos residenciais, quando se defrontar com terrenos em desnível. A suspensão buscada é obtida com o apoio da casa sobre um muro de arrimo, revestido com algum material escuro – tijolo ou pedra. Este muro escuro sustenta o volume branco da casa, que se destaca com total autonomia plástica dentro do conjunto. A mesma estratégia será adotada nas residências Spartaco Vial, de 1956, e Germinal Ortiz Garcia, de 1957, tratadas a seguir.

Residência Ângelo Aurélio Rezende Lobo, Belo Horizonte, 1952

pátio externo

**Residência
Ângelo Aurélio
Rezende Lobo,
Belo Horizonte,
1952**

pátio externo

detalhe fachada
principal

corte longitudinal

planta pavimento
superior

planta pavimento
inferior

71 Capítulo 3

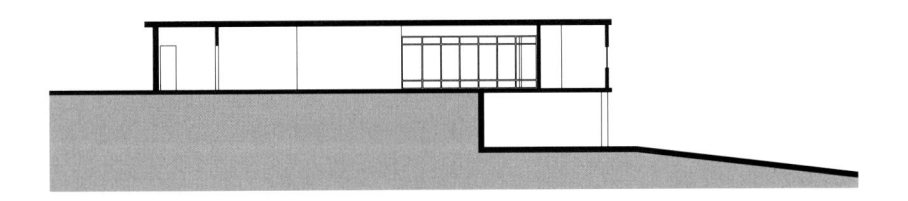

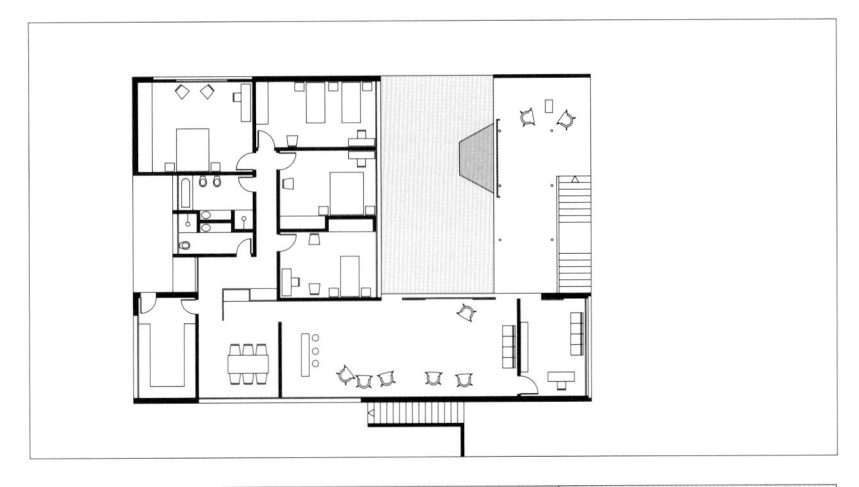

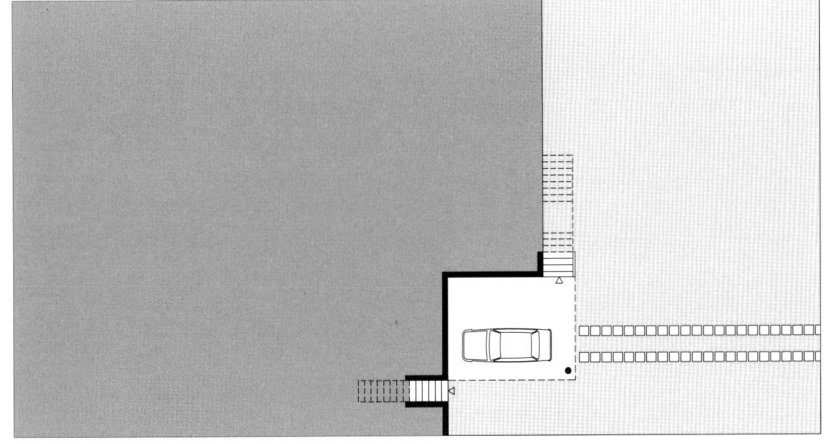

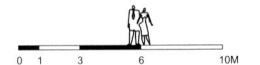

**Residência
José Felix Louza,
Goiânia, 1952**

perspectiva fachada
principal

O programa da casa, mais simples se comparado com o das residências que fez posteriormente, contempla no setor social o escritório e as salas de estar e de jantar; no setor íntimo, quatro dormitórios e instalações sanitárias; e no setor de serviço, cozinha e área de serviço. Não aparece aqui o vestíbulo de acesso principal e o lavabo (ligado geralmente ao vestíbulo ou às dependências de empregados), ambos itens programáticos constantes nas residências posteriores.

Libeskind volta as aberturas da sala de estar e dos dormitórios para o jardim interno da casa. Este espaço, conformado como pátio, possui características um pouco diversas dos jardins internos que serão projetados posteriormente pelo arquiteto para outras residências. Isso porque aqui se trata de um espaço semi-interno, uma vez que está diretamente ligado à varanda de acesso, que, embora coberta, também está totalmente aberta ao exterior.

Assim configura-se um espaço permeável, de transição entre interior e exterior, onde a luz do sol e a água da chuva participam do cotidiano da casa. Apenas um pequeno anteparo de elementos vazados junto ao espelho d'água divide o jardim interno da varanda de acesso principal. Esta varanda desenvolve-se sob uma marquise apoiada em pilotis metálicos duplos, compondo junto com o volume do escritório a fachada frontal da casa. Com a visão permitida pelo espaço permeável, pode-se observar por trás o volume que abriga o setor íntimo da casa (a outra parte do "L"). Libeskind utiliza o telhado em "asa de andorinha" para resolver o encontro desses dois corpos da residência.

Residência José Felix Louza, 1952 Construída na cidade de Goiânia, esta residência foi concluída em 1952. Libeskind só chegaria a São Paulo um ano depois, no ano de 1953, logo após a conclusão da escola de arquitetura. O arquiteto travou contatos em Goiânia por meio de um amigo da infância, Moisés Fux, que se formou engenheiro também em Belo Horizonte e tornou-se um grande empresário em Goiás, passando a indicar clientes para Libeskind.

Nas palavras de Libeskind, as casas de Goiânia são "introvertidas" – fechadas em si mesmas, com jardins internos e fachadas cegas. As condições do clima local apontaram para decisões de aberturas e uso de materiais propícios para um melhor aproveitamento da ventilação natural, que atravessa a casa cruzando os ambientes que se localizam em torno de um pátio interno, recurso amplamente utilizado pelo arquiteto em projetos posteriores.

**Residência
José Felix Louza,
Goiânia, 1952**

perspectiva jardim interno

Primeira obra de uma série que seria publicada em revistas internacionais, esta residência está implantada em lote de esquina e não apresenta aberturas para o exterior, pois encontra-se em local de considerável ruído pela confluência de duas ruas de certo movimento. As faces paralelas às ruas são compostas de planos totalmente fechados compostos de materiais à vista, aproveitando-se ao máximo as qualidades estéticas da textura desses materiais, como a cerâmica e o elemento vazado.

Segundo a revista *Casa e Jardim* n. 43, de 1958, esta casa "apresenta soluções peculiares ao local, em virtude da falta de mão-de-obra e materiais de construção adequados. Os elementos vazados da fachada foram executados na própria obra. A cobertura é de Brasilit, constituída de várias águas de uma só telha, dando o aspecto na fachada de uma inexistente laje plana impermeabilizada, pois a altura do beiral não atingiu mais que 45 cm. Os serviços de serralharia foram enviados de São Paulo, assim como inúmeras peças e materiais de construção".

Todos os setores da casa – social, íntimo e de serviço – se abrem para os seus respectivos pátios internos. Isso ocorre com o pátio de serviço, criado para satisfazer o setor compreendido pela cozinha, copa e dependência de empregada. Os dormitórios, por sua vez, abrem-se para um pátio íntimo, evitando que se voltem diretamente para a divisa do vizinho, por necessidade de insolação. Um jardim interno ocupa a parte central da residência, servindo principalmente o setor social e permitindo ventilação cruzada de todos os cômodos, recurso muito apropriado ao clima do local.

Libeskind realiza uma composição dos planos externos que acentua o caráter horizontal do volume retangular. Utiliza a platibanda para esconder as diversas águas do telhado de cimento-amianto. A partir do volume resultante dessa composição, nota-se o uso de um plano vertical que se fragmenta em três planos ao longo da fachada norte, obedecendo uma hierarquia de posicionamento e recuos que é arrematada pelo plano da fachada oeste. O primeiro plano, próximo à rua, é de tijolos e está ligado ao terceiro plano – de revestimento cerâmico – pelo plano intermediário e semitransparente de elementos vazados, que faz a transição visual entre os outros dois.

Nota-se nesta casa também um recurso que aparecerá em outros projetos: o plano alongado, ou seja, o plano que transpassa o encontro com o outro plano. Trata-se de um plano contínuo que se prolonga, remetendo aos princípios neoplasticistas, como

**Residência
José Felix Louza,
Goiânia, 1952**

corte transversal

elevação lateral

planta

muro com painel
em azulejos

entrada com
elementos vazados

vista externa

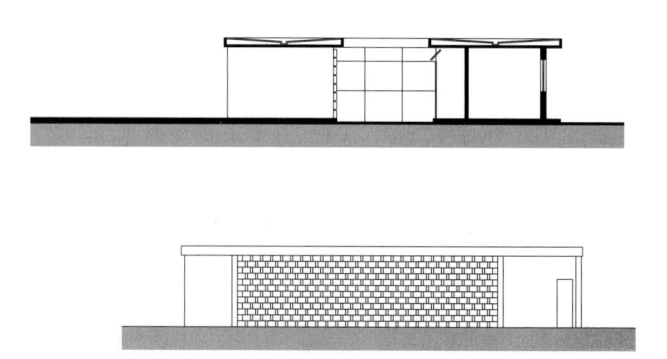

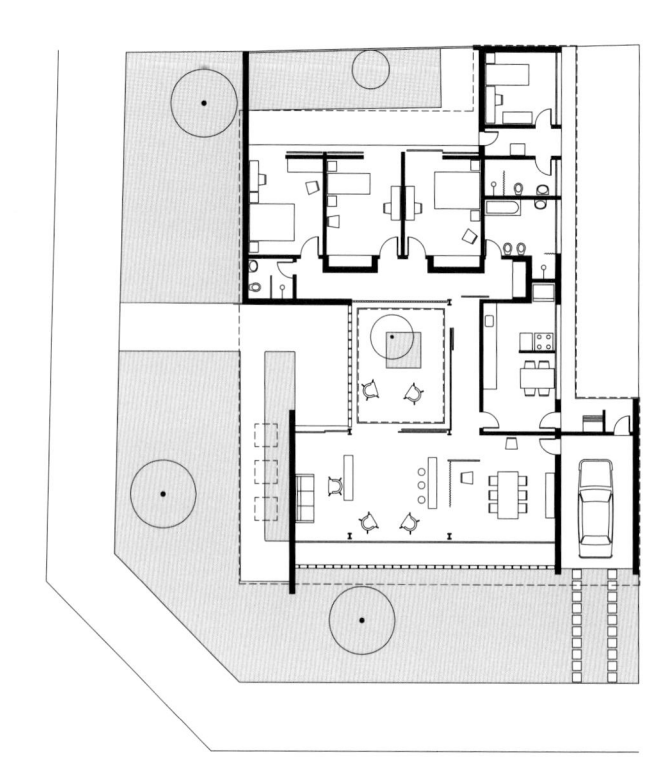

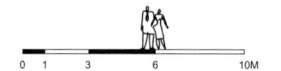

75   Capítulo 3

**Residência
Carmelo Larocca,
São Paulo, 1956**

sala e mezanino

fachada principal

comentado por Norberg-Schulz sobre a casa Schröder: "A nova arquitetura atravessou o muro, e ao fazê-lo eliminou por completo o divórcio entre dentro e fora. Os muros já não suportam cargas: limitam-se a ser pontos de apoio. E, como resultado, gerou-se uma nova planta aberta, totalmente diferente da planta clássica devido à interpenetração do espaço interior e exterior."

Nesta casa já se observa, ainda que de forma preliminar, uma diretriz de projeto que estará bastante presente nos projetos subseqüentes de Libeskind – o espaço fluido. A organização do setor social se faz a partir da concepção deste espaço único, que compreende a sala de jantar, o bar e a sala de estar, e que se liga com o pátio interno, com o jardim externo e com o terraço do acesso principal. Essa organização de um espaço único e contínuo, ligado aos espaços de transição como pátios e jardins, torna-se possível a partir da substituição dos planos verticais de fechamento (paredes) que fragmentam o espaço por planos verticais transparentes de vidro, translúcidos de elementos vazados ou outros materiais que ligam o espaço ao todo.

Se comparado às casas contíguas, o volume resulta "achatado" devido ao uso do plano de cobertura, que reforça a leitura do volume horizontal. É realizado um deslocamento do plano vertical de revestimento cerâmico, que por efeito do plano de cobertura recebe sombreamento sobre a área recuada do terraço do acesso principal à Avenida Paranaíba, na face norte.

Cabe ressaltar que esta casa é uma das primeiras residências modernas de Goiânia e uma das mais qualificadas. No Texto Especial n. 341 publicado na editoria *Arquitextos* do Portal Vitruvius, Maria Diva Araújo Coelho Vaz e Maria Heloisa Veloso e Zárate destacam a presença em Goiânia, ao lado de arquitetos locais, de "profissionais com experiência no contexto nacional, como David Libeskind e Sérgio Bernardes, que juntamente com aqueles outros produziram uma arquitetura respaldada em um conhecer mais erudito e contemporâneo ao seu tempo".

Residência Carmelo Larocca, 1956 Esta residência, hoje demolida, foi implantada em terreno praticamente plano e, como diretriz de projeto, Libeskind voltou as aberturas principais da casa para a face sudeste. Em virtude das condições externas ao terreno – o Parque do Ibirapuera ao fundo –, a solução adotada para a sala de estar com pé-direito duplo possibilitou um melhor aproveitamento da paisagem circundante. Com isso, obteve-se a melhor vista para

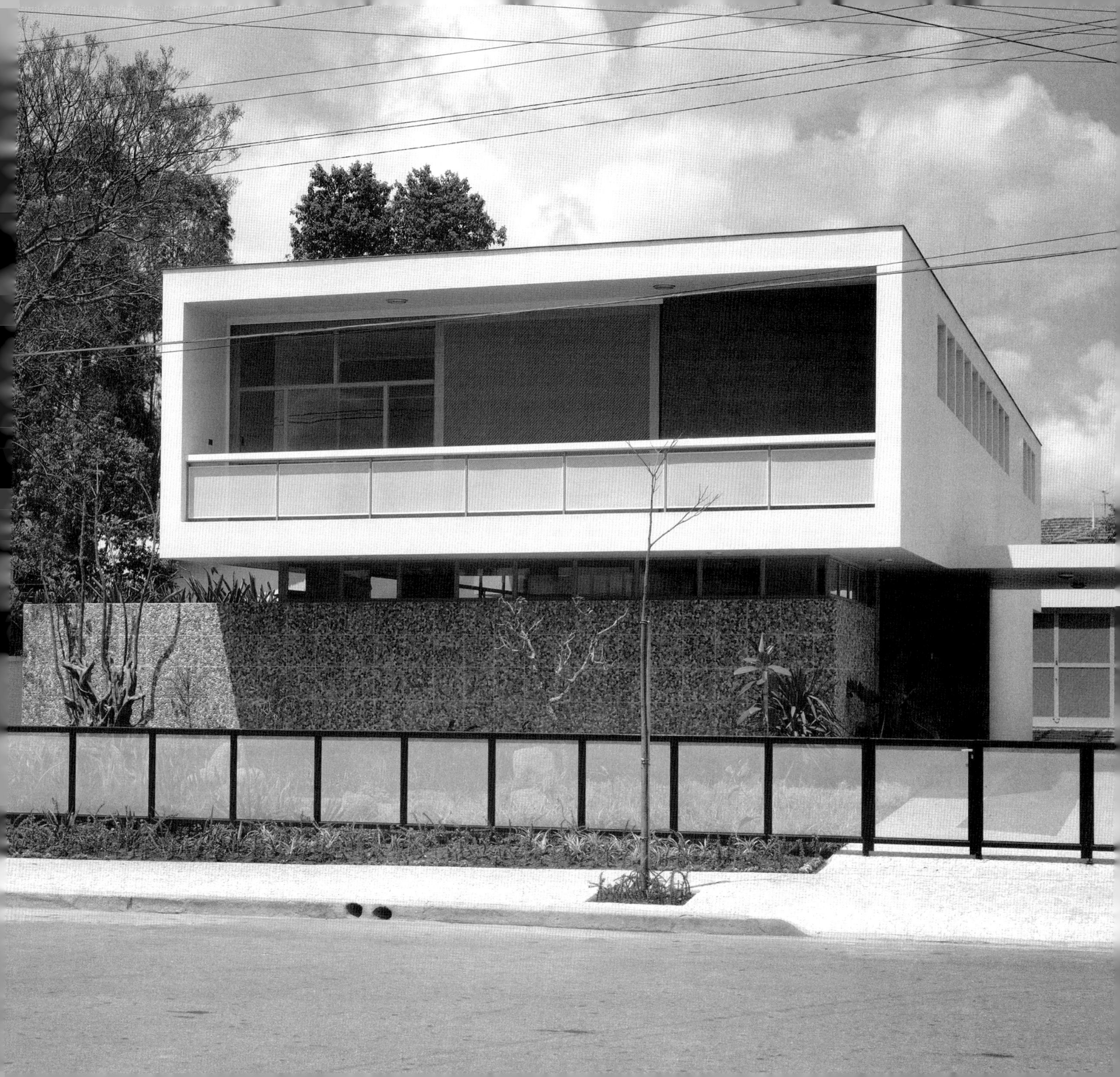

**Residência
Carmelo Larocca,
São Paulo, 1956**

elevação da janela
do dormitório da
fachada frontal

detalhe da janela do
dormitório da
fachada frontal

detalhe do peitoril da
fachada frontal

planta pavimento
superior

planta pavimento
térreo

corte longitudinal

corte transversal

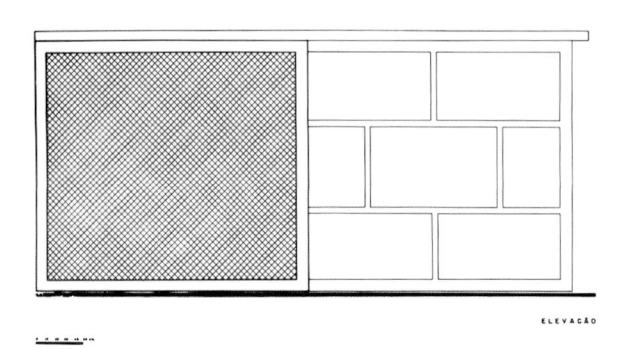

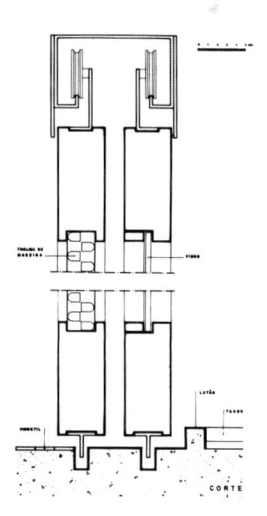

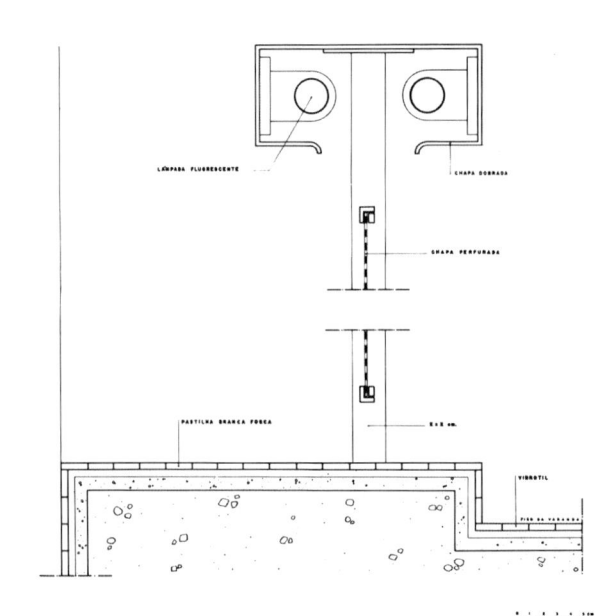

79   Capítulo 3

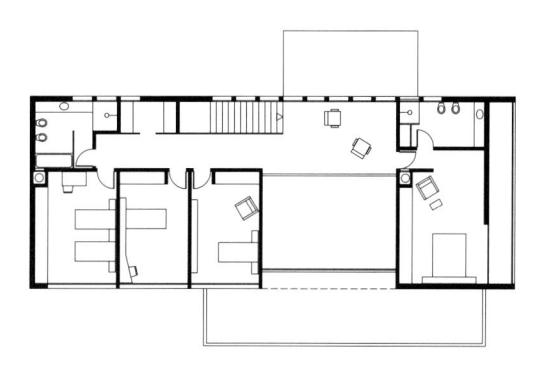

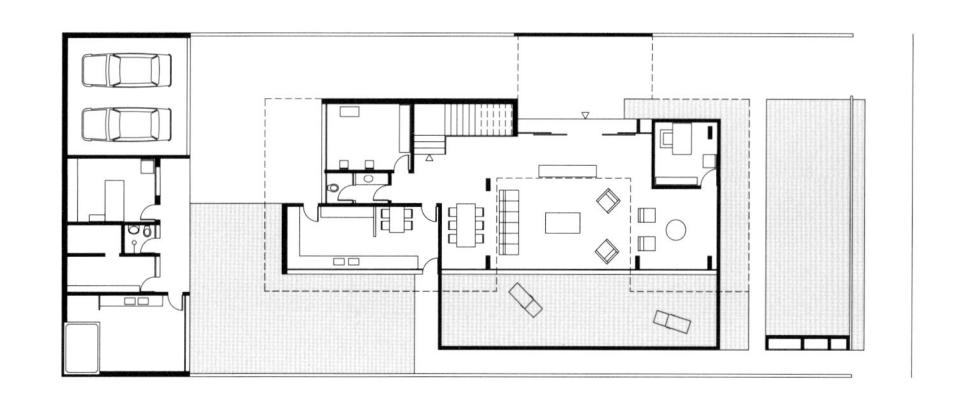

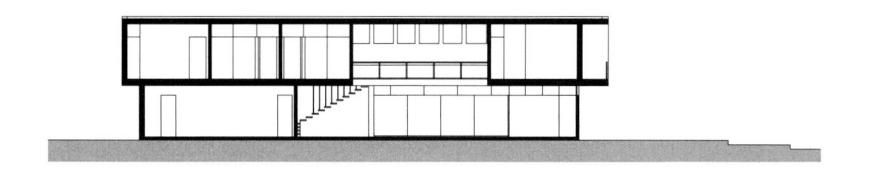

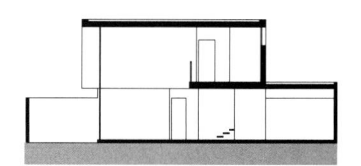

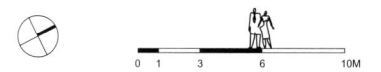

**Residência
Carmelo Larocca,
São Paulo, 1956**

vista lateral

esta sala, a sala íntima elevada e os dormitórios; também se obteve com esta estratégia a insolação mais adequada à maioria dos ambientes. A face noroeste, praticamente fechada para o exterior, evita a vista do mau aspecto da construção vizinha da época.

A planta do pavimento superior apresenta claramente um eixo de circulação que dá acesso aos dormitórios. A sala íntima, que funciona nessa organização como um mezanino sobre o vazio da sala de estar, separa o dormitório principal dos demais dormitórios, e a partir desta sala torna-se possível observar a paisagem através da face envidraçada. O dormitório principal, por sua vez, possui um terraço com vista para a rua; a porta deste terraço apresenta um detalhe do elemento de ventilação "constituído de uma treliça de madeira, bastante usada na arquitetura tradicional brasileira e que constituía os 'muxarabi' das construções árabes, trazidas até nós pelos portugueses", segundo publicação da revista *Casa e Jardim* n. 43, de 1958.

A fluidez dos espaços promove a leitura contínua dos ambientes que compõem o setor social da casa, relacionados com os espaços externos e com os jardins. A transparência da vidraçaria que percorre de cima a baixo a face sudeste da casa reitera esta continuidade do espaço, interligando visualmente os ambientes internos e externos.

Neste projeto Libeskind faz uso da laje plana, sobre a qual foi distribuída uma camada de pedregulho para tornar mais estável a temperatura sob a impermeabilização. Foi abandonado o sistema de distribuição de água fria e quente por gravidade, com reservatório sobre a cobertura. A água passa a ser distribuída por tanque de pressão, com o depósito localizando-se na lavanderia.

A casa resulta em um prisma branco de sessão retangular, que se apóia em cinco pilares sobre a área de pé-direito duplo da sala de estar, liberando todo o térreo que está limitado pelo muro do jardim interno revestido de cacos de mármore rolados em máquinas e aplicados com placas de 40 x 40 cm. O uso deste material confere um resultado plástico de aspecto compacto e sólido, e o volume inferior funciona como uma base de pedra presa ao solo.

Já o volume superior se solta desta base com o uso do vidro que, como uma faixa estreita e transparente, acompanha o percurso do plano do muro até seu arremate no escritório. O volume superior avança sobre o inferior, projetando sombra sobre este e destacando-se com grande autonomia no conjunto.

Libeskind, mesmo manifestando com freqüência sua predileção pelos terrenos com grande declividade, apresenta neste projeto grande habilidade em lidar com a composição volumétrica em terreno plano. A autonomia volumétrica é um dado de projeto que reforça a idéia de descolamento da casa do solo, característica reiterada em suas obras.

Residência Spartaco Vial, Sorocaba, 1956

perspectiva fachada principal

Residência Spartaco Vial, 1956 Em 1953, logo após sua chegada a São Paulo, Libeskind e o engenheiro Antonio Mauricio da Rocha, seu amigo da época de faculdade, doam o projeto para o Posto de Puericultura Padrão para a Legião Brasileira de Assistência, vinculada ao governo do Estado de São Paulo. A doação resulta na encomenda, no ano seguinte, para o projeto do Hospital Infantil de Sorocaba. Libeskind trava contato com os médicos professores do hospital – o projeto para esta residência foi fruto de um desses contatos.

Situação análoga à residência Ângelo Aurélio Rezende Lobo, de 1952, a declividade acentuada do terreno leva o arquiteto a dividir o terreno em duas partes, corte resolvido com um muro de arrimo. O abrigo de automóveis foi disposto sob o volume da casa, que se apóia sobre uma plataforma criada na cota mais alta do terreno. A residência, portanto, foi projetada em um só nível, com acesso pela varanda através de uma escada. Como resultado formal temos um prisma ortogonal, de sessão retangular, que ora repousa, ora se lança sobre a pendente do terreno.

Este projeto já indica uma forte tendência de Libeskind em realizar projetos de residências nas quais procura liberar o volume do chão. A revista *AD – Arquitetura e Decoração*, em seu n. 15 do ano de 1956, comentando outro projeto – a residência Hermínio Trujillo em Sorocaba, onde Libeskind adota solução semelhante de volume único com planta em "L" –, afirma que "em virtude da declividade do terreno, as dependências de serviço foram localizadas sob o piso da residência. A piscina ficou semi-enterrada, possuindo numa de suas paredes, a do fundo, três visores de vidro, permitindo uma visão para o interior da mesma, sob o nível da água". Ambas as soluções serão retomadas anos mais tarde no projeto da residência do próprio arquiteto, de 1961.

Cada um dos dormitórios foi originalmente dotado de um jardim fechado lateralmente, em solução similar às que aparecerão anos mais tarde nas residências Joseph Khalil Skaf e Natan Faermann, ambas de 1958. Contudo, na residência Spartaco Vial acabou não sendo construída.

**Residência
Spartaco Vial,
Sorocaba, 1956**

sala de estar e pátio

fachada principal

planta pavimento
superior

planta pavimento
inferior

corte transversal

83   Capítulo 3

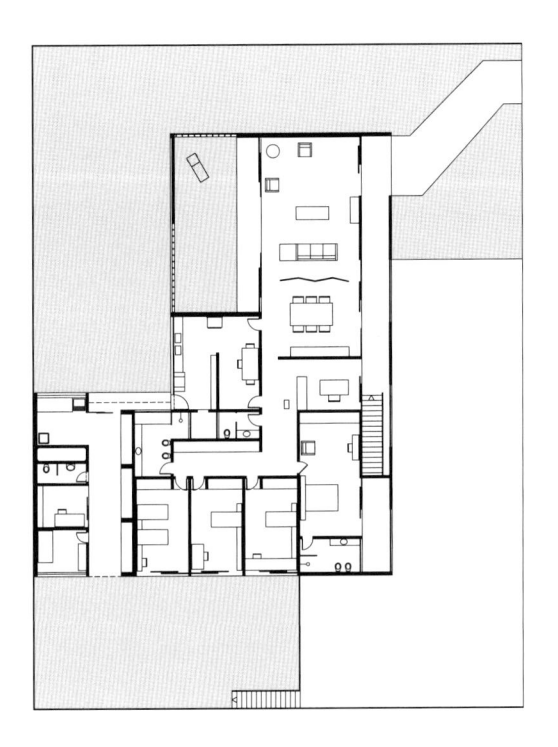

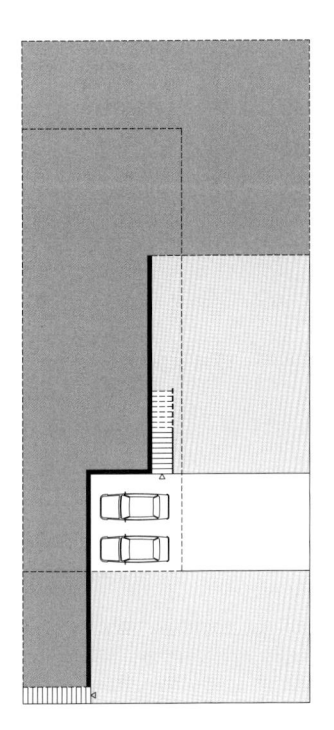

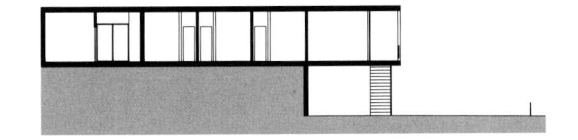

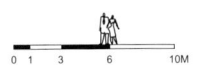

Residência Antonio Maurício da Rocha, São Paulo, 1957

fachada principal

acesso principal

O setor social, que abriga o escritório, o lavabo e as salas de estar, de jantar e de música, desenvolve-se através de um espaço único e contínuo, ladeado por dois terraços, que promovem a ventilação e a iluminação para esses ambientes. Já o setor de serviços está separado do setor íntimo por meio de um pátio de serviços, muito usual nos projetos de Libeskind.

O volume íntegro e de grande pureza formal conta com quatro grandes aberturas iguais. Consecutivas e simétricas, contíguas ao terraço de acesso principal que cumpre o papel de transição entre o exterior e o interior da residência, as aberturas funcionam como varandas protegidas, estabelecendo a ligação visual com o exterior. Esta casa apresenta a configuração mais prismática e de maior simplicidade volumétrica dentre as 12 residências aqui estudadas.

Residência Antonio Maurício da Rocha, 1957 Ao implantar essa residência, realizada para seu amigo da época de faculdade Antonio Maurício da Rocha, Libeskind toma como ponto de partida favorável a inclinação do terreno. Evitando o ajuste do solo através de movimentação de terra, projeta a casa 70 cm acima do solo em relação ao lado dos dormitórios, obtendo um resultado volumétrico leve e criando a ilusão de que a casa flutua sobre o terreno. O volume retangular se estende no sentido horizontal, em blocos compactos, destacados pela variedade de materiais empregados, como tijolos de cerâmica, vidro, pedras e pastilhas.

O programa se distribui de forma fluida, com a integração plena entre os setores social, íntimo e de serviços garantida pelo vestíbulo do acesso principal, de onde se pode atingir qualquer setor da residência sem cruzar os demais; o mesmo vestíbulo que articula garante o perfeito isolamento desses setores. As áreas social e de serviço contam cada uma com o próprio ambiente externo: a sala de estar se abre para um jardim semi-interno, contíguo à fachada principal, que isola a casa da rua; o setor de serviço possui um pátio particular, ou coradouro, espécie de quintal. Este último é um espaço freqüente nos projetos residenciais de Libeskind, já visto na residência Spartaco Vial, de 1956.

Segundo a revista *Acrópole* n. 266, de 1960, todas essas partes isoladas "formam um conjunto homogêneo, funcional, enquadrando-se numa composição simples, retangular, com predominância das linhas horizontais". Essa predominância das linhas

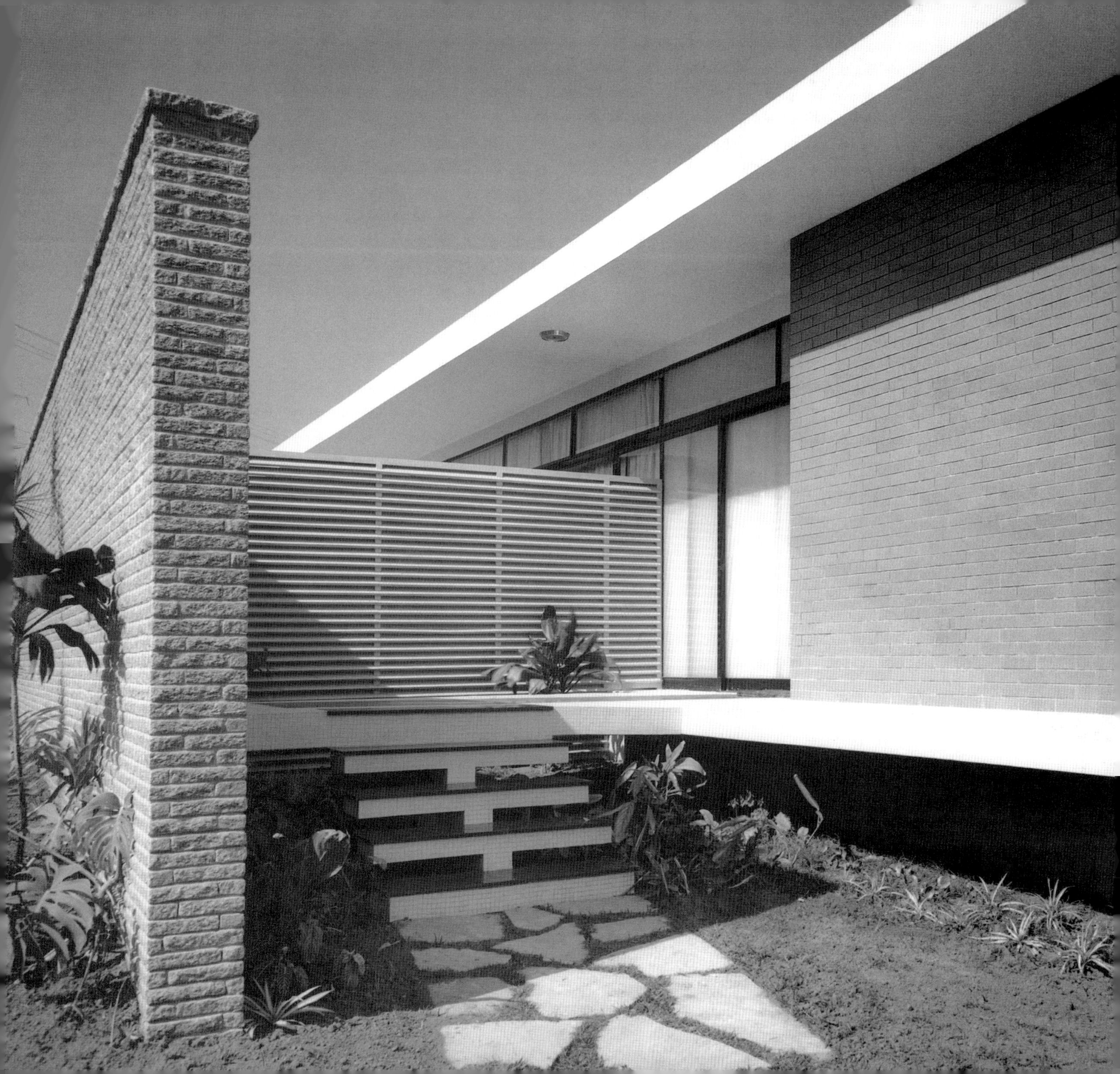

Residência Antonio Maurício da Rocha, São Paulo, 1957

perspectiva fachada principal

pátio e sala de estar

corte

planta

0 1 3 6 10M

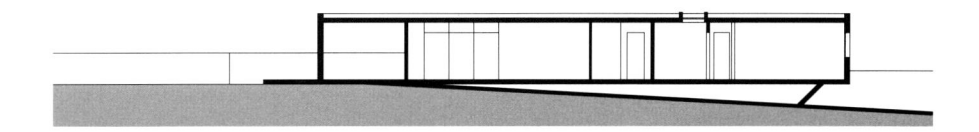

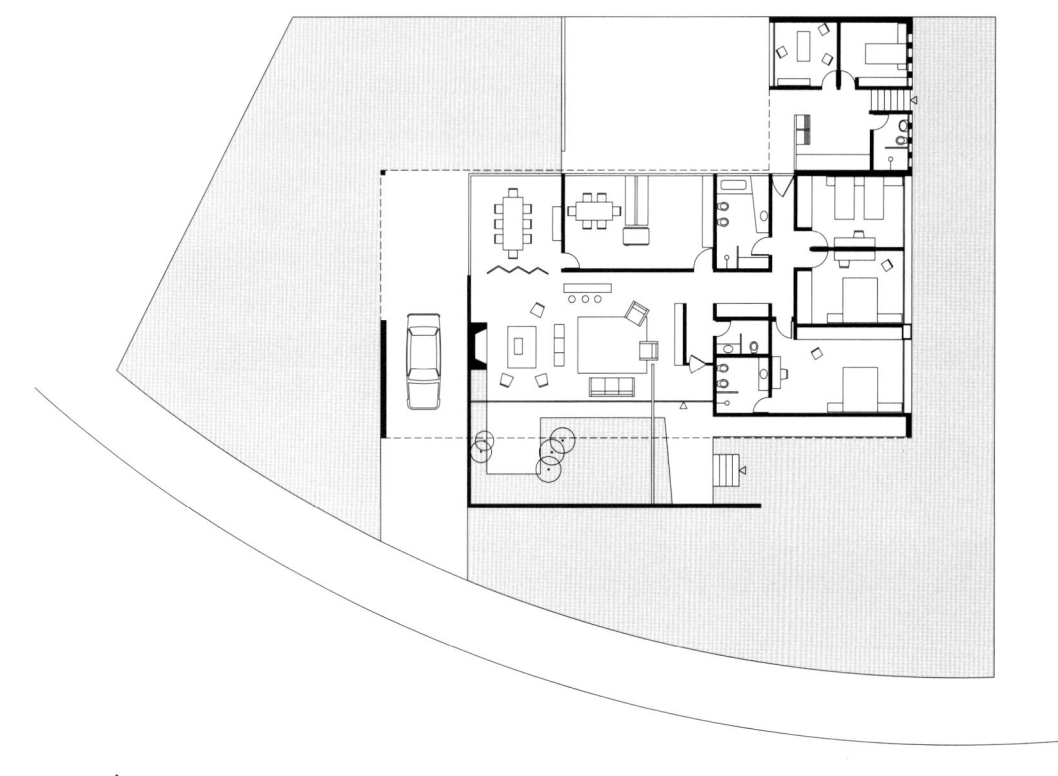

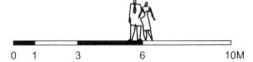

87 Capítulo 3

Residência Antonio Maurício da Rocha, São Paulo, 1957

sala de estar

horizontais também se verifica na fachada dos dormitórios (face nordeste), onde as janelas se sucedem no mesmo plano, emolduradas pelo desenho do contorno do volume principal que percorre toda a casa.

Essa "linha de moldura" torna-se fundamental para a leitura da laje plana que se dobra para resguardar o abrigo de autos. Ela nasce paralela e no entanto solta do solo, junto à escada do acesso principal, e percorre o retângulo até encontrar o chão no único momento em que toca o solo. Para a definição do volume, este requadro ou moldura parece fundamental para a percepção do todo, tratando-se de um recurso já ensaiado por Libeskind nos projetos anteriores e que nessa residência se apresenta com grande força.

O primeiro plano, solto do volume principal, cria uma área de transição no acesso principal (fachada sudeste), onde se localiza o jardim do setor social. Com altura inferior à da casa, este muro com revestimento de tijolo aparente contorna a sala de estar e serve de pano de fundo para a lareira, apresentando autonomia em relação ao volume principal.

Amplamente publicada em revistas especializadas da época, a residência Antonio Maurício da Rocha causou impacto pela espacialidade banhada de luz e uso contrastante de materiais, cores e texturas, conforme pode-se observar em matéria da revista *Casa e Jardim* n. 92, de 1962: "A luz entra profusamente através de largas portas e janelas de vidro, dentro de uma composição linear simples e audaciosa ao mesmo tempo. As paredes geralmente nuas dispensam ornamentos supérfluos que possam romper o despojamento voluntário do conjunto. A cor desempenha um papel importantíssimo; diversos coloridos criam contrastes imprevistos, modificando os espaços, sugerindo novos limites. A textura variada dos diversos materiais de revestimento e a disposição geométrica das linhas vêm acentuar a impressão de dinamismo criada pela arquitetura e decoração modernas. O jogo de linhas e volumes adequadamente distribuídos cria um equilíbrio muito agradável à vista."

Por essa residência Libeskind recebeu, em 1960, o Prêmio Prefeitura de São Paulo conferido pelo Salão de Arte Moderna, seção de arquitetura.

Residência Germinal Ortiz Garcia, 1957 Um muro de contenção, ao dividir o terreno em declive, permite que os setores social e de serviço se assentem diretamente sob o solo na parte aterrada, enquanto o setor íntimo – um volume mais fechado, emoldurado por painel de azulejos na face noroeste, abrigando os dormitórios – se solta do terreno mais baixo, suspenso por três pilotis, liberando o solo para um jardim. Este é o partido do projeto desta residência, implantada – segundo a revista *Casa e Jardim* n. 54, de 1959 – em "um terreno que apresenta diferença de nível e que não só possibilita criações originais, como permite utilização mais completa dos espaços por intermédio da elevação adequada de um ou mais blocos que formam o edifício".

Residência Germinal Ortiz Garcia, São Paulo, 1957

detalhe fachada principal

Um jogo geométrico bem articulado permite que a planta quadrangular abrigue em três blocos com acessos independentes os três setores da casa – social, íntimo e serviço. O segredo está na localização perfeita do vestíbulo de entrada, que conduz a esses acessos específicos. O setor social, composto de grande área para o estar, bar e sala de lareira, liga-se aos pátios e jardins externos através das grandes aberturas e possui conexão direta com o jardim interno. Este ladeia a escada de acesso ao nível inferior do terreno, sob a área dos dormitórios, conectando-se ao jardim externo, que praticamente começa na rua e contorna toda a residência, projetando-se magnificamente para dentro da casa, onde encontra o jardim interno.

O jardim interno participa dos setores da casa, pois não é fechado ou cercado por gradis, paredes, vidro ou qualquer outro elemento de separação. Completamente interna e aberta, tal parcela da área vegetada da casa habita o interior comum e participa vigorosamente da dinâmica dos espaços da residência. Portanto, não se constitui em elemento isolado ou meramente decorativo, mas em algo indispensável e fundamental na distribuição programática. Para se obter a ambiência necessária para a sobrevivência adequada das plantas, foi necessário considerar as condições de iluminação e ventilação, solucionadas por intermédio de uma pérgula difusora de ar e luz.

O espaço contínuo entre sala de estar, vestíbulo, sala de jantar e seu jardim externo (que separa a casa do pátio de serviço) se constitui no sentido noroeste/sudeste. Trata-se de um espaço fluido que se desenvolve sem obstáculos visuais, formando um conjunto no eixo transversal ao do jardim interno, que se abriga no outro sentido. Apenas o volume da lareira intersecciona esses espaços, resguardando o acesso ao estar íntimo e aos dormitórios.

**Residência
Germinal Ortiz
Garcia, São Paulo,
1957**

sala de estar
e pátio externo

sala de estar
e jardim interno

elevação

corte transversal

planta pavimento
térreo

planta pavimento
inferior

0 1   3   6   10M

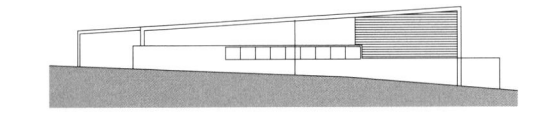

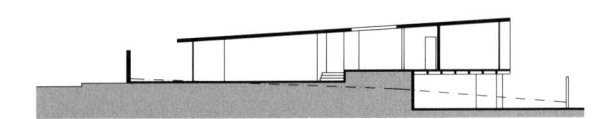

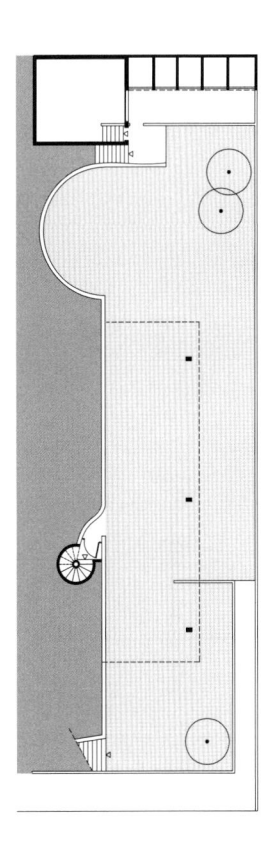

91   Capítulo 3

**Residência
Joseph Khalil Skaf,
São Paulo, 1958**

vista lateral

fachada posterior

O raciocínio de eixos dispostos em cruz também foi aplicado nos planos verticais que dividem e limitam a casa. Ela está separada da rua por meio de um muro de elementos de cerâmica, e o jardim externo foi praticamente seccionado em dois, sendo que uma das partes se estende até a calçada, enquanto a outra é ocultada pelo muro. A sala de estar desfruta deste jardim externo e protegido da rua no plano mais elevado do terreno e tem seu espaço ampliado pela introdução do elemento vegetal, do qual está separado por uma porta corrediça, de vidro.

Solução semelhante foi usada também para separar o setor social do pátio de serviços, onde um muro circular composto de placas premoldadas de cimento com baixos-relevos de grânulos de mármore faz o arremate da área. Neste projeto, Libeskind mais uma vez resolve a área de serviço como um pavilhão separado do corpo principal da casa, como uma edícula solta do volume principal e separada deste pelo pátio de serviço.

Residência Joseph Khalil Skaf, 1958 Esta residência, encomendada pelo industrial Joseph Khalil Skaf em 1958 e concluída apenas em 1961, localiza-se em uma região de São Paulo que sofria profundas transformações. Na ocasiao, o recem-inaugurado Parque do Ibirapuera, idealizado para as comemorações do IV Centenário da Cidade de São Paulo em 1954, não fora implantado na totalidade da área inicialmente considerada pelo plano diretor da equipe de Oscar Niemeyer.

A casa está localizada em um desses trechos de uso residencial contíguos ao parque, áreas significativas na borda do projeto original que acabaram fora do plano final. A situação privilegiada do lote permitiu a implantação da residência com duas frentes: uma para a Avenida República do Líbano (borda oeste do parque), e outra voltada para o interior do parque, com vista para o lago.

A casa, um prisma ortogonal de projeção retangular, possui dois pavimentos e está implantada no sentido longitudinal do terreno plano, com recuo em todas as faces. Estas fachadas apresentam características peculiares em relação às aberturas, aos materiais e ao diálogo resultante com o entorno – a casa não é um edifício que oferece pontos de observação indiferentes; ao contrário, é uma construção desenhada com absoluta atenção à paisagem.

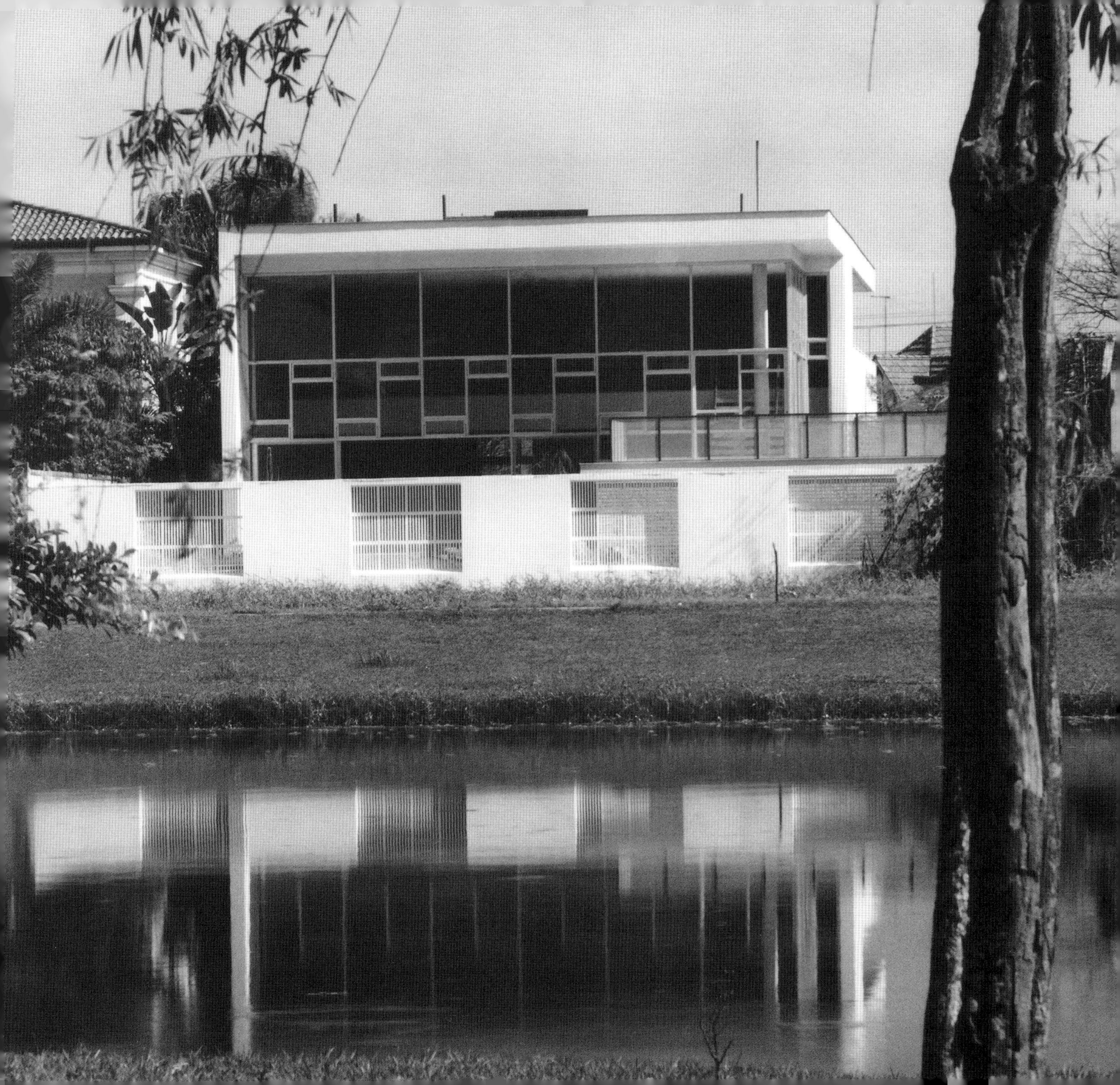

**Residência
Joseph Khalil Skaf,
São Paulo, 1958**

fachada principal

salas escalonadas

planta pavimento superior

planta pavimento térreo

planta pavimento inferior

corte longitudinal

95 Capítulo 3

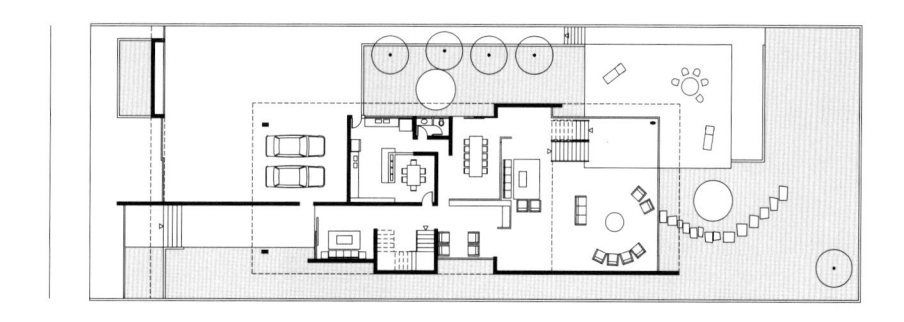

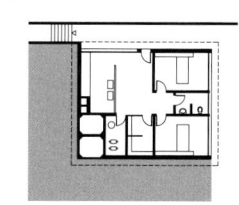

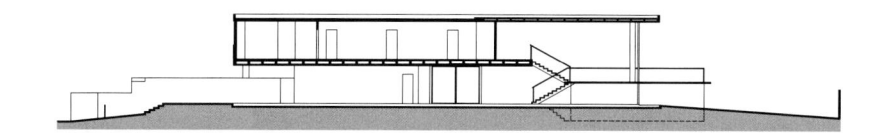

**Residência
Joseph Khalil Skaf,
São Paulo, 1958**

detalhe dos balcões

A face leste, que se volta para o parque, apresenta um plano transparente que é freqüentemente utilizado por Libeskind como filtro de transição entre os espaços internos e externos, ou entre os espaços intermediários. A face oeste – totalmente vedada, sem janelas, portas ou paredes de vidro – volta-se para a avenida movimentada, como forma de proteção, contrastando com a prevalência de aberturas de diversas finalidades nas outras faces que se voltam para o exterior. As maiores faces – norte e sul – também são antagônicas. Enquanto a face sul apresenta apenas uma abertura no térreo e algumas aberturas altas no pavimento superior para atender à iluminação e à ventilação das instalações sanitárias que ladeiam a escada interna, a face norte apresenta no pavimento superior uma subtração no volume original, resultando em quatro terraços dos dormitórios, que são por sua vez delimitados por pérgulas que recompõem visualmente o prisma, retomando seu caráter de volume puro.

A revista *Acrópole* n. 288, de 1962, descreve a casa da seguinte forma: "Possuindo o terreno duas frentes, uma para a avenida e outra para o Parque Ibirapuera, tornou-se importante a localização da edícula (dependência de serviço) para que não houvessem obstáculos na transparência da fachada voltada para o parque que desfruta de magnífica paisagem. Desta maneira, a edícula ficou semi-enterrada e seu teto foi transformado em uma plataforma na altura do patamar da escada, dominando todo o living, jardim e o lago do parque. O living tem o pé-direito duplo, para possibilitar também ao pavimento superior visibilidade total para o exterior."

Marlene Acayaba em seu livro *Residências em São Paulo 1947-1975*, ao descrever esta residência, também destaca o papel desempenhado pela edícula semi-enterrada, decisão de projeto que evita o obstáculo visual à transparência da fachada com vista para o parque. A edícula, que compreende as dependências de serviço – lavanderia, dois dormitórios e dois banheiros de empregada, casa de bombas, caixa d'água e adega –, está consideravelmente distante do acesso à cozinha. Esse eventual problema de agenciamento programático poderia ter sido facilmente equacionado localizando dependências de serviço e cozinha na parte frontal do terreno, local funcionalmente mais adequado.

Contudo, a decisão do arquiteto de localizar o volume da edícula na parte posterior deve-se à importância que dá à plataforma horizontal intermediária que se forma em sua cobertura, que se projeta do interior para o exterior cumprindo o papel de patamar expandido da escada, mediando as relações dos espaços de transição. Este plano do patamar da escada possui localização frontal para o parque, conformando um balcão entre a sala de estar e o jardim, atravessado pelo plano vertical transparente da fachada de vidro em um dos seus cantos.

Residência Natan Faermann, 1958 Nesta residência Libeskind organiza o programa de forma a realizar notável integração entre os espaços internos e externos, privilegiando cada setor com sua própria área verde. Segundo a revista *Acrópole* n. 275, de 1961, a casa foi "construída sobre terreno plano e inteiramente térrea, ocupando, portanto grande superfície [...] procurou-se continuar com os jardins externos para o interior de vários setores da residência".

O setor social conta com um jardim semi-interno, contíguo ao acesso principal e ao vestíbulo da entrada, resguardado por um muro de tijolos prensados com assentamento alternado, que filtra a passagem da luz e resguarda a vista da casa. Da mesma forma que na residência José Felix Louza, de 1952, Libeskind utiliza o muro de proteção entre a casa e a rua mais baixo que o volume principal, reforçando a idéia de que a casa se fecha para fora e volta-se para si mesma, aberta para os seus espaços internos de pátios e jardins. Do lado oposto, junto à sala de jantar, um outro jardim externo separa o setor social da edícula que abriga o salão de festas, o estúdio e as dependências de serviço e circunda toda a área externa da casa. Na área íntima, os dormitórios voltados para a face nordeste se abrem, um a um, para pátios ajardinados que os isolam da circulação lateral de veículos.

O vestíbulo expande-se em três momentos e se transforma em um eixo longitudinal – uma grande faixa de transição dos espaços abertos e sociais para os espaços compartimentados e mais privados. No primeiro momento o vestíbulo funciona como um filtro, o elemento que serve de transição entre o interior e o exterior, e oferece duas possibilidades: acessar o setor social ou prosseguir pela faixa de transição. Um desnível configura o segundo momento, que incorpora a lareira e o acesso ao setor íntimo da casa, o qual se desenvolve no plano elevado. O corpo da lareira desempenha papel mediador na leitura espacial, compreendido como plano vertical, e serve de divisor entre a área social e a área íntima. Tal recurso já fora utilizado anteriormente por Libeskind na residência Germinal Ortiz Gar-

Residência Natan Faermann, São Paulo, 1958

vista lateral

Residência Natan Faermann, São Paulo, 1958

fachada principal

vestíbulo e sala de estar

banheiro

planta pavimento superior

planta pavimento térreo

corte longitudinal

99 Capítulo 3

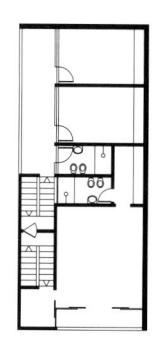

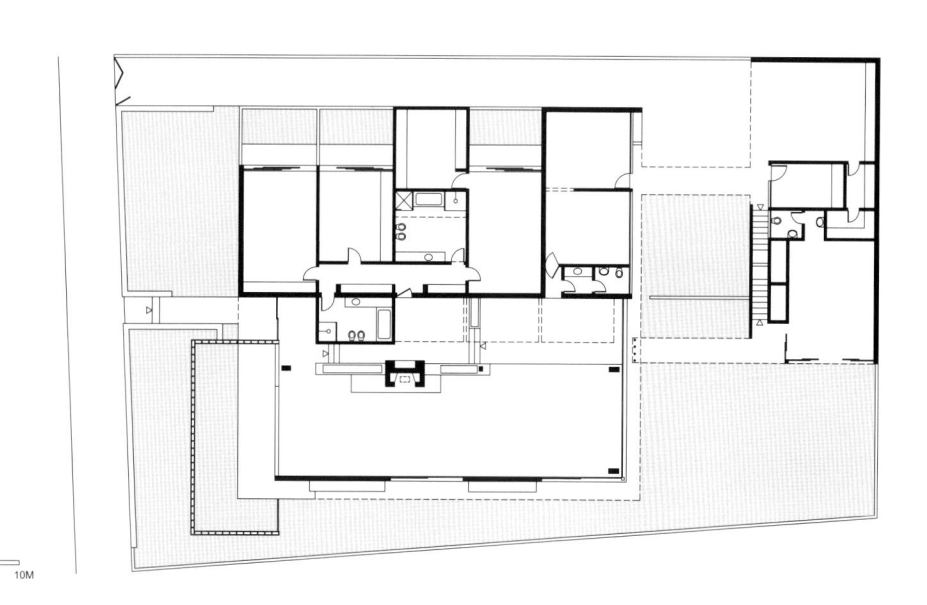

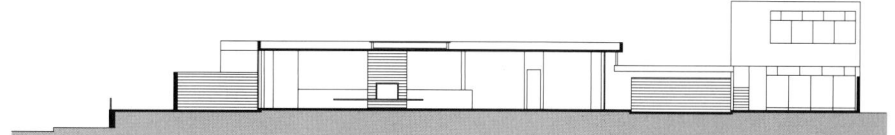

**Residência
David Libeskind,
São Paulo, 1961**

fachada posterior

jardim vista lateral

cia, de 1957. No terceiro momento, novamente no mesmo plano inferior do acesso e das salas, encontra-se a ligação para a copa, a cozinha e o jardim posterior, que conduz ao salão de festas e está protegida por uma marquise. Os dois últimos momentos do vestíbulo expandido são fortalecidos pela iluminação zenital, que recorta a laje e secciona o volume da casa.

É grande a diversidade de materiais empregados nos pisos e nos elementos de fechamento e separação dos ambientes. Materiais como a pedra, a madeira e o mármore ajudam a configurar os ambientes, permitindo uma leitura muito clara, porém sutil, dos espaços que, embora contínuos, mantêm cada um o seu caráter. Isso ocorre com o bloco delimitado pelo vestíbulo, sala de estar, lareira e sala de jantar, que ocupa um espaço único, contínuo e fluido, mas com cada um destes espaços demarcado pelos diferentes materiais empregados no piso.

Duas operações formais merecem menção. A primeira ocorre na fachada da rua – face noroeste – onde o bloco do setor de estar é desencontrado do bloco dos dormitórios. Embora o plano de cobertura permita fazer a leitura de uma linha contínua e sem interrupções, a face envidraçada que divide o jardim semi-interno da sala de estar encontra-se recuada. A segunda é a extrusão sofrida pelo volume original da área íntima, que gera a área dos pátios dos dormitórios; contudo, com recurso muito semelhante ao utilizado por Libeskind na residência Joseph Khalil Skaf, do mesmo ano, as vigas acabam por recompor virtualmente o prisma perfeito.

Residência David Libeskind, 1961 O terreno em que está implantada a casa originou-se de um desmembramento da propriedade vizinha no bairro do Pacaembu. Com frente para duas ruas – Atibaia e Traipus –, o lote apresenta desnível superior de 10 m entre elas. Libeskind acomoda os vários planos da casa entre terraços e jardins, que são revelados pouco a pouco, escalonados a fim de amenizar o muro de arrimo para a rua de menor cota (Rua Traipus).

A casa não se revela a partir da sua face para a rua principal – Rua Atibaia –, com cota mais elevada. Neste ponto, se apresenta como um prisma de configuração horizontal, parcialmente encoberto pela vegetação do jardim frontal e completamente fechado para a rua. Apenas o recorte da garagem e o acesso à casa são identificados, mas de forma muito discreta. Há uma subtração do volume neste ponto do abrigo de autos, porém se observa a continuidade nas linhas da cobertura obtida a partir do avanço das vigas metálicas que se estendem até o lado oposto.

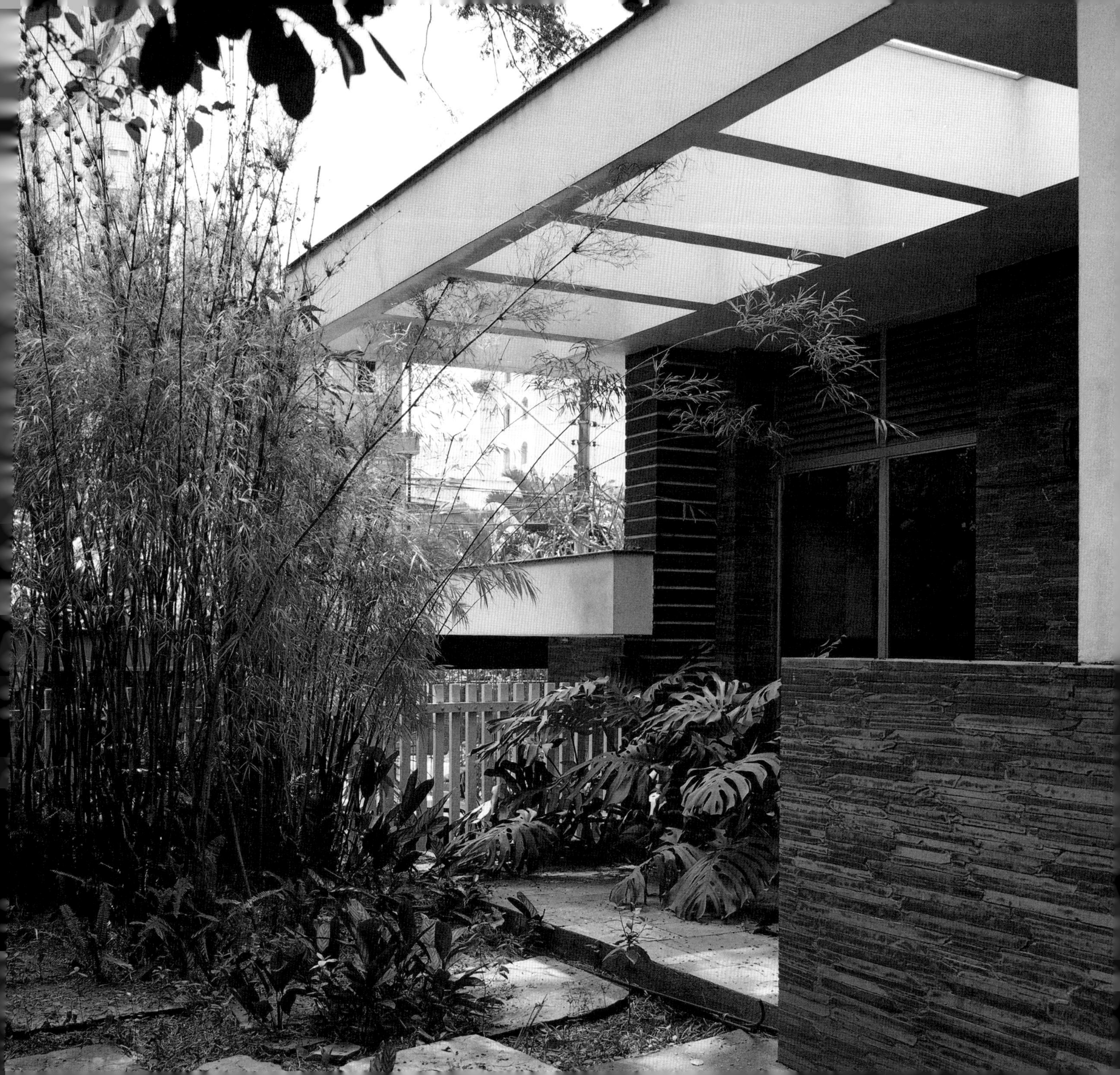

**Residência
David Libeskind,
São Paulo, 1961**

planta pavimentos
intermediário
e superior

elevação lateral

corte longitudinal

planta pavimento
térreo

planta pavimento
inferior

fachada principal

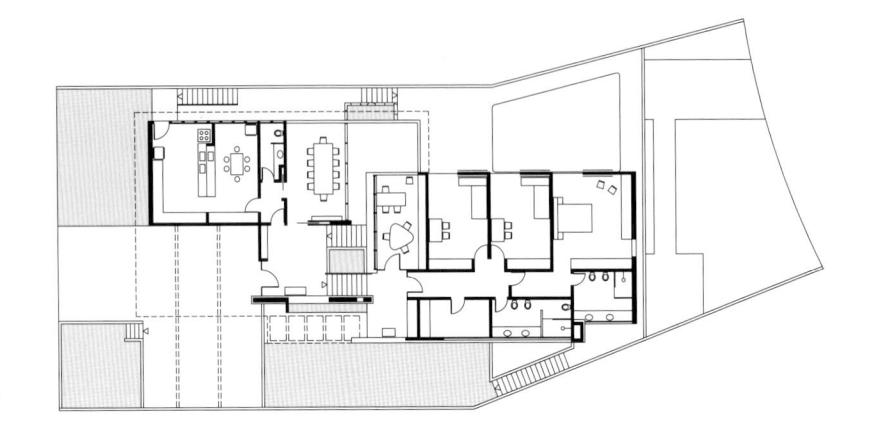

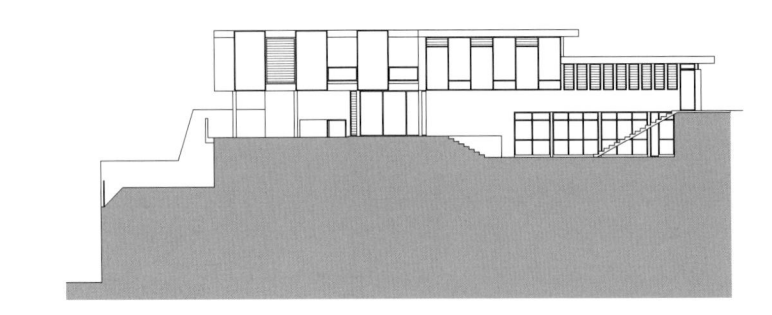

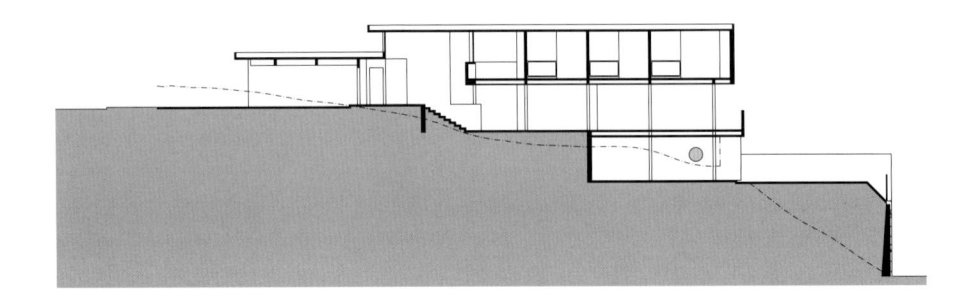

103 Capítulo 3

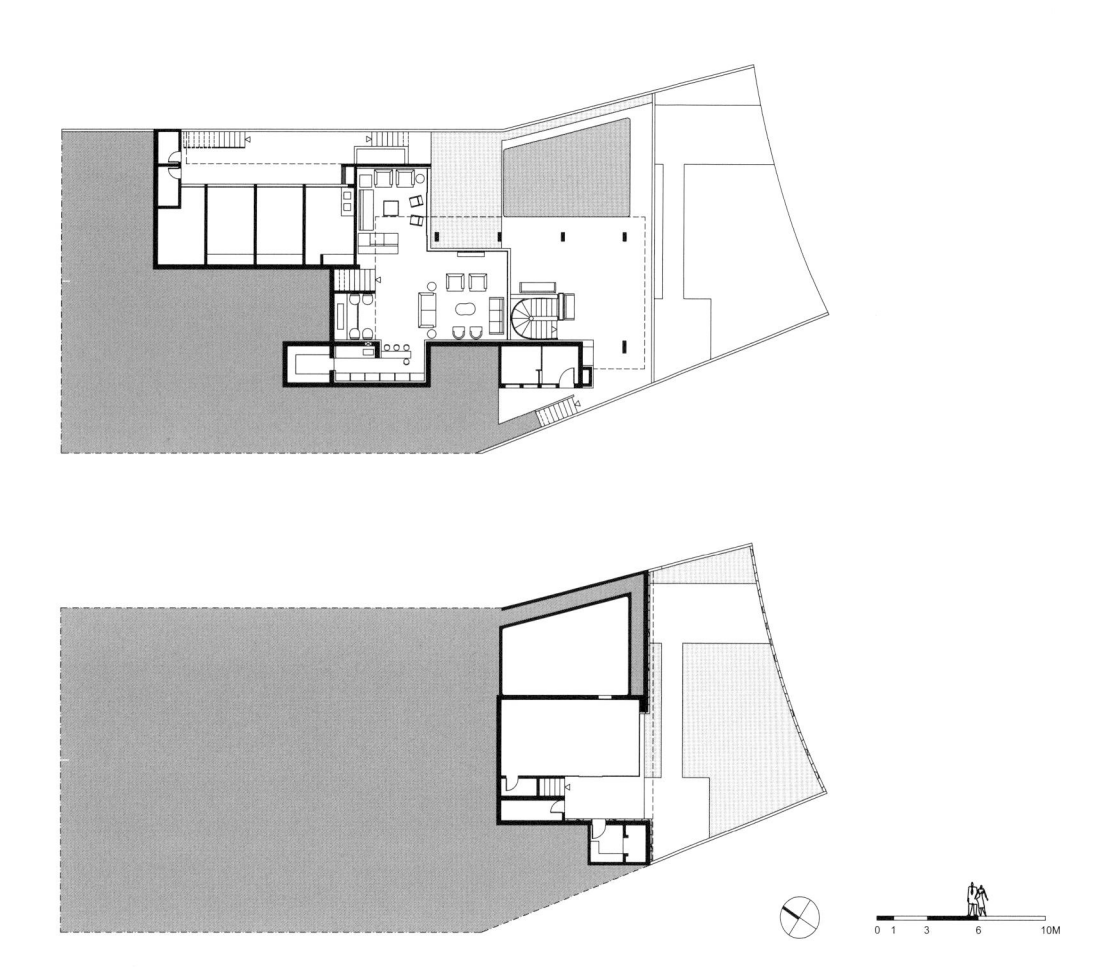

**Residência
David Libeskind,
São Paulo, 1961**

vista lateral

sala de estar

entrada e garagem

vestíbulo

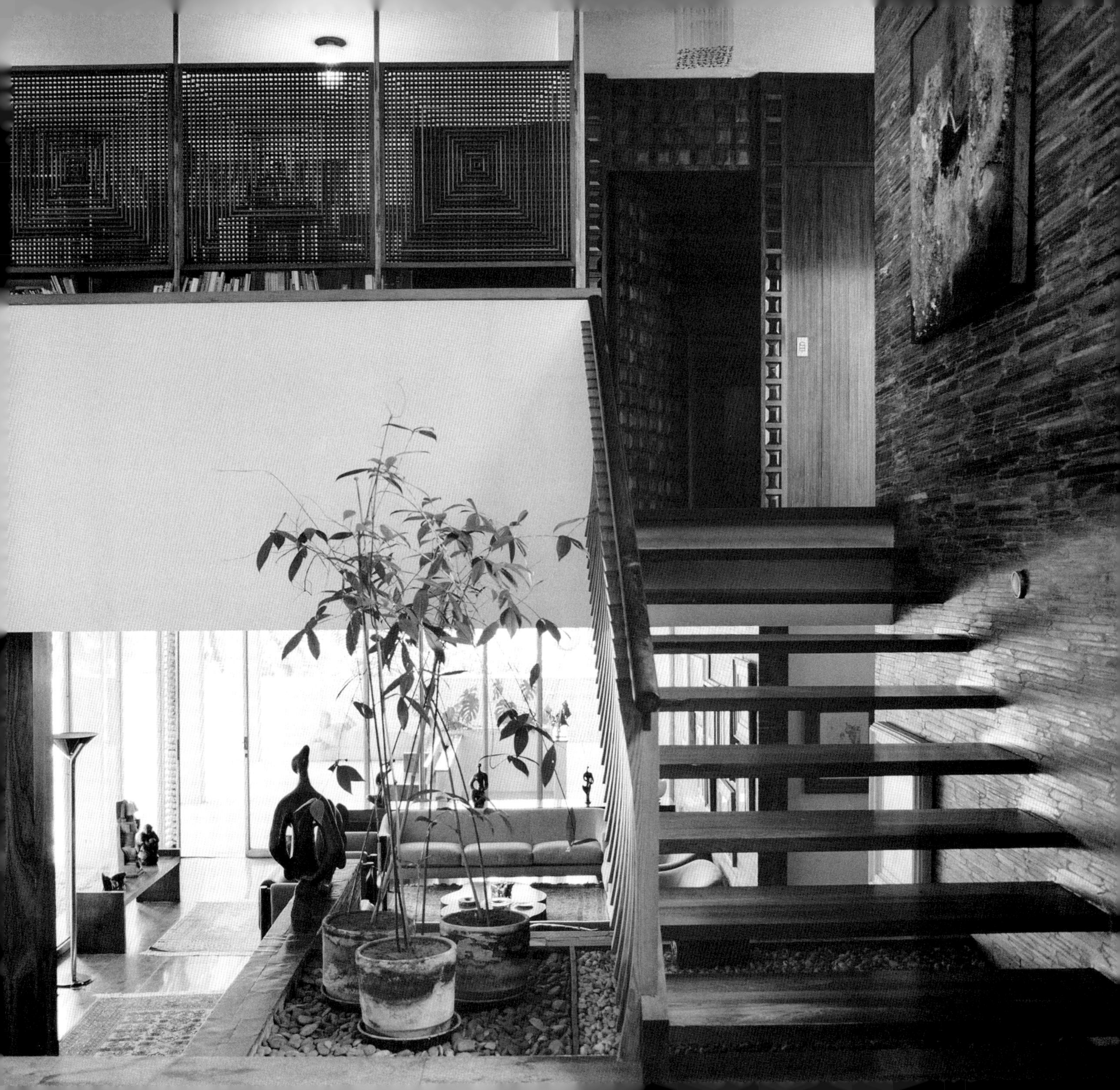

**Residência
David Libeskind,
São Paulo, 1961**

sala de estar

No nível da Rua Atibaia, face noroeste, faz-se o acesso principal à casa a partir da rua através da garagem. Contíguo à divisa direita, um jardim eleva-se um metro do chão e abriga um pau-ferro, árvore já existente no terreno antes do início das obras. Neste mesmo nível encontram-se o vestíbulo, a sala de jantar, o lavabo, a copa e a cozinha.

A partir deste ponto, a casa se divide em três níveis sobrepostos: o superior, meio nível acima, contempla o setor íntimo – que acomoda o escritório, os dormitórios, os banheiros, um vestíbulo e um jardim; o inferior, meio nível abaixo da cota de entrada, abriga o setor social – um único espaço contínuo, que abriga sala de estar, lareira, bar e adega, e está ligado visualmente com o jardim externo e com a piscina através das portas de correr de vidro que percorrem todo o limite entre o interior e o exterior da casa – e o setor de serviços, que tem acesso pela face nordeste da casa e compreende as dependências de empregados, lavanderia e pátio de serviço; e um terceiro e último nível, abaixo do setor social, que acomoda o estúdio, o laboratório fotográfico e mais um jardim-limite entre a casa e a rua de cota mais baixa – Rua Traipus –, que dá fundos ao lote. De dentro do estúdio é possível enxergar a água da piscina através de um visor de vidro, solução já ensaiada anteriormente por Libeskind na residência Hermínio Trujillo, de 1956.

Com o escritório instalado no plano intermediário da casa, surge um espaço generoso, com pé-direito duplicado, sobre parte da sala de estar. A sala de jantar, por sua vez, também tem vista para este espaço, que se integra com o exterior através da transparência dos planos verticais de fechamento. Desta forma ocorre a integração espacial completa do núcleo central da casa, mesmo que cada ambiente se desenvolva em níveis distintos.

Há um plano vertical de pedra que penetra na casa, contíguo ao vestíbulo que ladeia a escada pelo lado direito, e que no nível do setor social abriga a adega e o bar. Este plano apresenta-se contínuo na sala de estar até encontrar o limite com o terraço externo.

Percebe-se claramente a intenção do arquiteto de salientar as diferenças que vão pouco a pouco se apresentando nesse volume. Os planos verticais que o compõem são tratados de diversas formas, com distintos materiais, os quais reforçam as idéias de espaço fechado e espaço aberto, espaços de separação e espaços de integração. A pedra é utilizada quando a intenção é fechar o volume para o exterior, reforçando a idéia de base sólida ou bloco monolítico. Nos ambientes de estar, o uso do vidro é fundamental para integrar os espaços internos e externos com os jardins e terraços propostos.

O projeto para esta residência também possui a peculiaridade de que o arquiteto converteu-se em habitante; é o lugar que ele mesmo desenhou para viver com sua família. David Libeskind, em depoimento, comenta sobre alguma restrição econômica em sua realização. Contudo, mesmo contando com recursos mais escassos do que os usualmente dispendidos pelos seus clientes na realização da maioria dos projetos residenciais, o arquiteto não se viu impedido de colocar em prática seus princípios projetuais, concretizando de forma precisa e adequada a sua própria moradia.

Residência Aron Birmann, 1969 Um grande plano horizontal que se descola cerca de 70 cm do chão abriga o programa desta casa, que obedece a uma claríssima estrutura organizacional. Um segundo plano horizontal funciona como plano de cobertura e pousa sobre os planos verticais que estabelecem as divisões internas da casa.

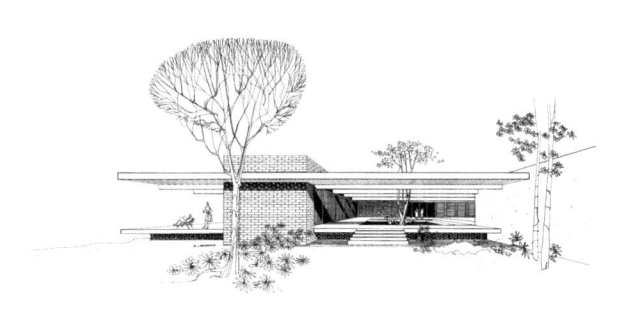

Por se tratar de uma casa de praia, sem as interferências de uma casa urbana, Libeskind não a fecha para a rua, localizando as aberturas dos dormitórios e da sala de estar para o exterior sem a adoção de barreiras, como muros ou quaisquer anteparos de bloqueio visual. Mesmo que a obra final tenha sofrido algumas modificações nas aberturas com relação ao projeto original – nos quartos, por exemplo, as portas originais que acessariam os terraços foram substituídas por janelas –, a intenção de abrir a casa para as vistas exteriores ainda é completamente mantida.

O projeto organiza-se dentro de uma lógica de modulação de 4 em 4 m no sentido transversal da casa. As vigas se apresentam aparentes por toda a residência (de maneira pouco usual na obra de Libeskind), inclusive por sobre o pátio de serviço, funcionando como pérgulas neste ponto.

Residência Aron Birmann, Porto Alegre, 1969

perspectiva elevação lateral

perspectiva fachada principal

**Residência
Aron Birmann,
Porto Alegre, 1969**

pátio interno

detalhe fachada
principal

elevação frontal

corte

planta

109 Capítulo 3

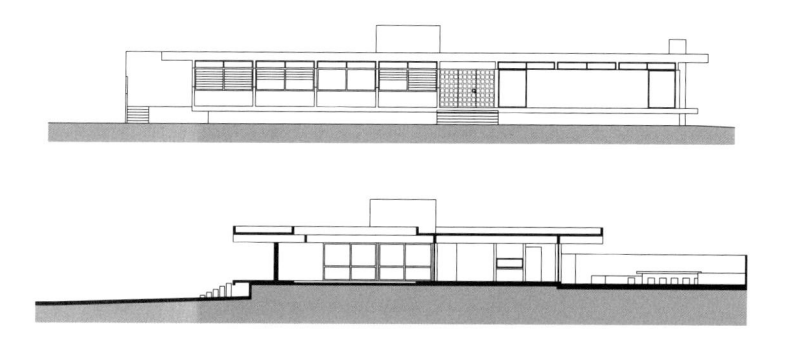

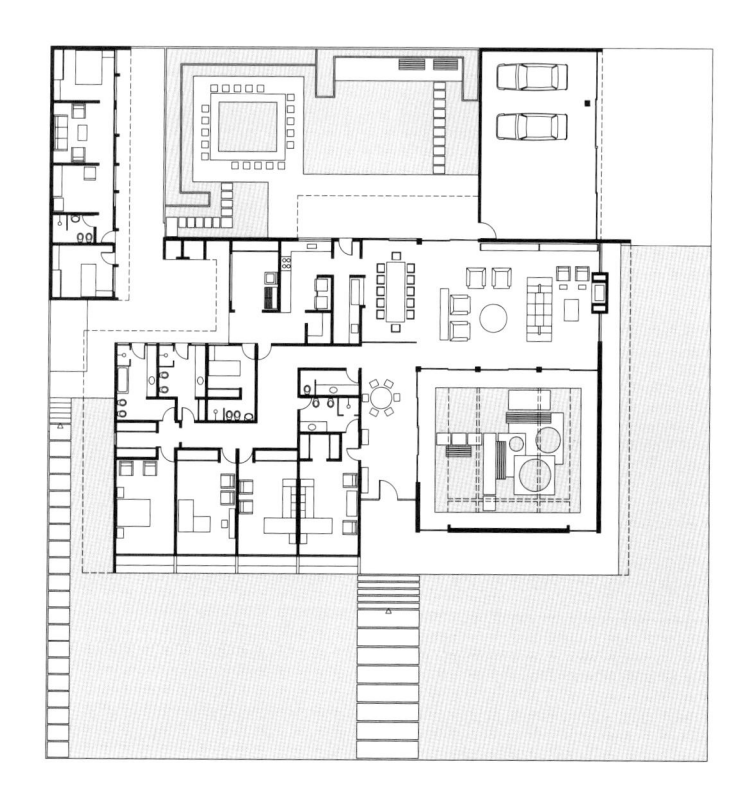

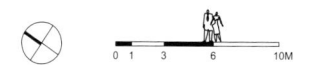

**Residência
Aron Birmann,
Porto Alegre, 1969**

sala de estar

O setor social – compreendido por vestíbulo, sala de estar, sala de jantar e lavabo – acomoda-se em um único espaço contínuo, onde a sala de estar está ladeada pelo terraço frontal de um lado e pelo jardim da churrasqueira no lado oposto. Tal disposição faz com que esta sala esteja totalmente imersa em luz, que penetra pelas aberturas de ambos os lados. Mesmo que na sua materialização final a casa ganhe um plano vertical de pedra, que acomoda a lareira contornando a sala de estar, manteve-se o jogo de luz e sombra intencionado desde a concepção inicial do projeto.

O setor íntimo da casa obedece ao mesmo raciocínio modular e acomoda os quatro dormitórios dispostos paralelamente, solução semelhante à utilizada nas residências Spartaco Vial, de 1956, e Khalil Skaf, de 1958. Originalmente estes dormitórios teriam livre acesso a terraços individuais, mas por determinação dos proprietários foram construídas aberturas sem acesso – janelas – para estes terraços, o que arrefece um tanto a qualidade final do projeto.

Desta forma, os setores social e íntimo acomodam-se num extenso eixo de cerca de 32 m de comprimento, sendo que o setor de serviço resolve-se em "L", de forma pavilionar em torno de um pátio de serviços. Este é um recurso amplamente utilizado pelo arquiteto, inclusive em seus projetos anteriores de casas urbanas, como por exemplo nas residências Jacks Rabinovich, de 1960, e Jankief Zilberkan, de 1958.

O conjunto composto por vestíbulo e lavabo funciona como um elemento nuclear e articulador entre os três setores principais da casa. Este espaço pode ser denominado, na acepção dada por Mario Figueroa, como "vestíbulo distribuidor", que "se caracteriza pela função reguladora e conectora, e sua existência habitualmente elimina a necessidade de espaços destinados exclusivamente à circulação". Os planos horizontais dos três setores – social, íntimo e de serviço – estabelecem uma relação centrífuga com esse núcleo distribuidor.

Residência Carlos Taub, 1970 Localizada no bairro do Morumbi, esta residência foi implantada em terreno de grandes dimensões, com topografia favorável em relação à paisagem e insolação. A casa é completamente fechada para a rua, como é de costume nos projetos residenciais de Libeskind. Entretanto, mesmo dispondo de amplas áreas, não apresenta espaços de transição como pátios ou jardins internos. A maioria dos ambientes e todas as suas maiores aberturas da casa se voltam para o interior do lote, na face nordeste, com vista para a piscina e para os jardins do amplo terreno, desde os terraços individuais dos dormitórios até as grandes aberturas das salas de estar e jantar, com um pé-direito e meio de altura. As dimensões possibilitaram a adoção de amplos jardins em níveis, abrangendo piscina, espelho d'água, quadra de tênis e orquidários. Esses ambientes são distribuídos em diversos planos, de acordo com as suas funções, e acompanham o desnível natural do terreno.

Do ponto de vista programático, a casa apresenta uma variação na organização em setores, pois aos três habitualmente presentes nos projetos – social, íntimo e de serviços – foi acrescentado um quarto, o setor de lazer. A organização em corte da casa, que conta com três níveis distintos distribuídos em meios níveis, auxilia muito o agenciamento adequado de um programa tão amplo e complexo.

O nível intermediário abriga os acessos e os setores social e de serviços. Uma varanda monumental de chegada abriga a garagem, um dos acessos de serviço e o acesso social. Este último se faz através de um generoso vestíbulo de 25 m² que, tal como na residência Aron Birmann de 1969, organiza e atende diretamente todos os setores da residência, assumindo uma postura centralizadora que tende a diluir qualquer sentido de hierarquia dos setores ou das funções. Associados a este vestíbulo encontram-se o lavabo, o escritório/biblioteca e uma escada em dois lances; esta, posicionada no sentido transversal ao eixo dominante da casa, articula os diferentes níveis.

No nível superior, meio nível acima do nível intermediário, se encontra o setor íntimo. Aqui se destaca a sala íntima, que funciona como elemento de transição articulada à escada e se projeta para o exterior na forma de terraço, tornando-se o volume dominante na face nordeste da casa, com vista para a piscina e para os jardins do setor social. Nesta face voltada para o interior do terreno, as esquadrias do setor dos dormitórios obedecem a uma modulação de metade do vão de 4,5 m. As esquadrias dos dormitórios e outros cômodos da face oposta, que obedecem a uma modulação de um quarto deste mesmo vão, estão mais protegidas devido ao beiral que se prolonga 3 m para além da parede. Nesta face, como na face sudoeste, muros de pedra de diferentes alturas são os elementos compositivos predominantes, e o setor de serviços está vinculado a um pátio configurado por um desses muros.

Residência Carlos Taub, São Paulo, 1970

fachada posterior

**Residência
Carlos Taub,
São Paulo, 1970**

fachada posterior

detalhe vista lateral

fachada principal

implantação

corte transversal

corte longitudinal

planta pavimento inferior

planta pavimentos térreo e superior

113 Capítulo 3

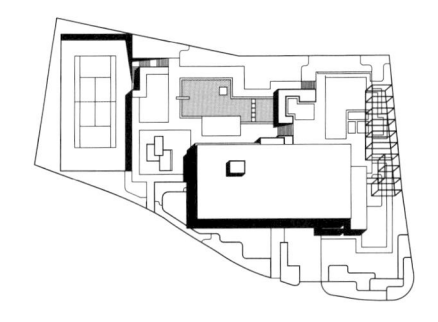

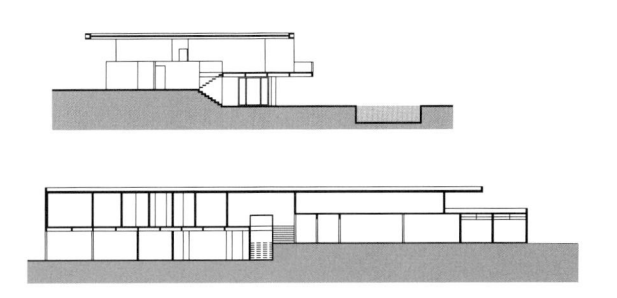

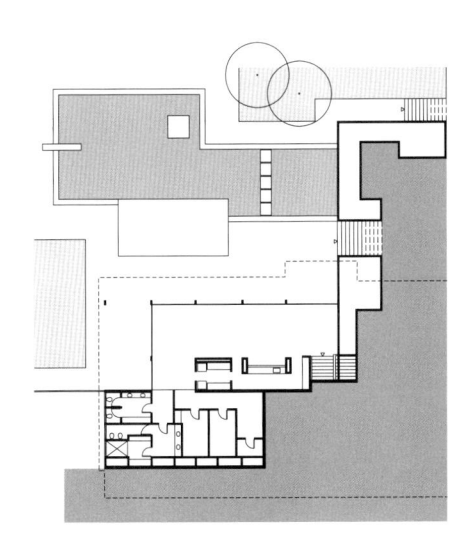

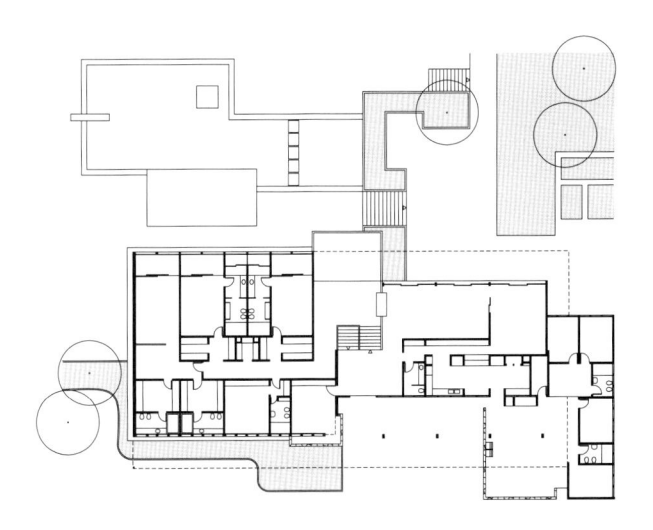

**Residência
Ulisses Silva,
São Paulo, 1983**

jardim interno

Meio nível abaixo do nível intermediário localiza-se o setor de lazer ligado à piscina. Com dimensões consideráveis, a piscina se funde com um espelho d'água contíguo ao muro de arrimo que separa o terreno em dois níveis. Por fim, um amplo salão de festas e de jogos localiza-se no setor de lazer, ligando-se diretamente ao espaço da piscina.

Residência Ulisses Silva, 1983 Ocupando dois lotes do condomínio Terras de São José na cidade de Itu, a casa de aproximadamente 963 m² está implantada em um terreno de 5700 m². Trata-se de um programa extenso, resolvido de modo a privilegiar cada setor da casa com terraços, jardins e pátios, integrando a casa à natureza circundante. O partido adotado privilegia a vista para o lago existente no condomínio e organiza o programa em torno de um núcleo central que compreende o jardim interno, distribuído nos dois níveis da casa.

Libeskind mais uma vez resolve o setor social a partir da localização da sala de estar entre dois espaços de transição. De um lado, o terraço com vista para a paisagem; do outro, o jardim interno. Com isso, obtém um eixo contínuo desde o acesso principal, ligando o vestíbulo, o jardim interno a sala de estar e, finalmente, o terraço. O conjunto é amplamente favorecido pelo protagonismo da luz, que penetra nesses ambientes de maneira diversa.

Entre o terraço do setor social e o exterior (face leste) foram utilizados painéis de concreto aparente com aberturas em arco; localizados estrategicamente em direção à vista, os painéis funcionam como brises, controlando a penetração da luz. Sobre o jardim interno, são utilizadas pérgulas de concreto, permitindo a iluminação zenital que penetra e atravessa a casa verticalmente através dos dois pavimentos, criando um poço de luz.

O setor íntimo está resolvido em um pavilhão de 28 m de comprimento, onde cada suíte possui um terraço e um jardim. Elementos de concreto também são utilizados na face dos dormitórios como brises, e os terraços avançam como balcões sobre a declividade do terreno. Ainda são utilizados painéis perfurados de madeira nas faces mais externas de cada balcão para proteger o dormitório da incidência solar direta.

Neste projeto, diferentemente dos 11 outros selecionados, o telhado de quatro águas, com aplicação de telhas cerâmicas e sem platibanda, está exposto nas elevações.

A partir da análise desta obra, verifica-se que Libeskind prossegue com o mesmo raciocínio projetual quanto às diretrizes adotadas em relação à organização espacial, à integração dos setores da casa entre si e em relação ao diálogo entre os espaços internos e externos da casa. Embora exista uma mudança estética a partir do emprego do concreto aparente, este uso – segundo Sandra Maria Alaga Pini – "restringe-se a alguns elementos da fachada e está associado a outros tipos de acabamentos externos [...] elementos de concreto aparente como escadas, terraços, brises, platibandas, que surgem em construções de caráter mais regionalista como nos chalés de Itu, nas residências de Itu e, ainda no conjunto de apartamentos do condomínio Catamarã, no Guarujá – SP".

Residência Ulisses Silva, São Paulo, 1983

fachada posterior

perspectiva externa

Libeskind, sensível às mudanças que ocorriam à sua volta, percebe que a arquitetura das décadas de 1970 e 1980 buscava novas referências. E se o arquiteto, de alguma forma, procurou estar ligado ao seu tempo, manifesta-se ainda nessa residência elementos que comprovam permanências de raciocínio. Ao se olhar seus projetos dessas últimas décadas, nota-se exatamente a mesma estrutura empregada em suas obras das décadas de 1950 e 1960 no que diz respeito à organização das plantas e à implantação das suas obras no terreno. Nesses aspectos, não há nenhuma profunda mudança no seu raciocínio projetual. Há, por assim dizer, um desejo de realizar uma arquitetura que se apresenta formalmente atualizada, mas que segue diversos dos princípios modernos que nortearam a produção do arquiteto desde o início.

**Residência
Ulisses Silva,
São Paulo, 1983**

detalhe vista lateral

elevação lateral

fachada posterior

corte

planta pavimento inferior

planta pavimento térreo

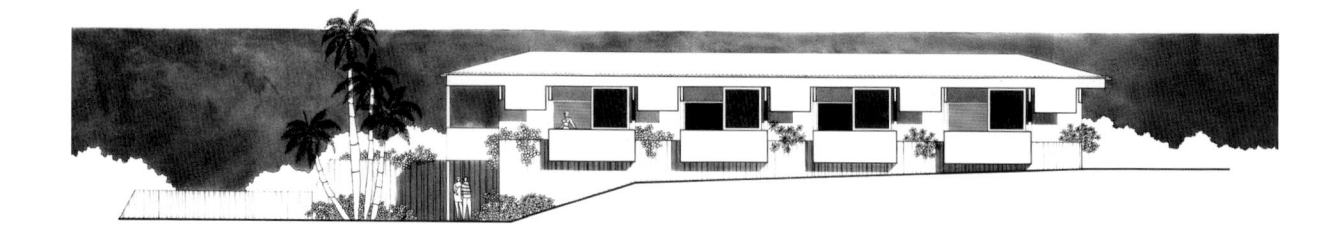

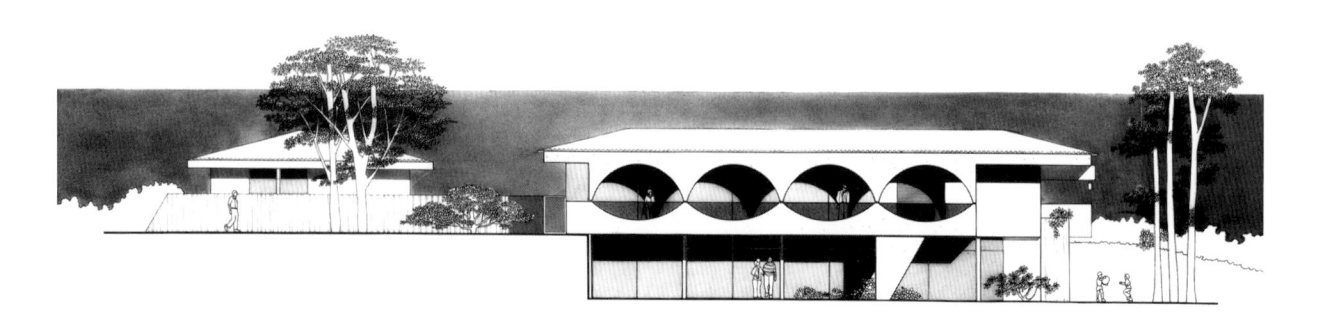

117 Capítulo 3

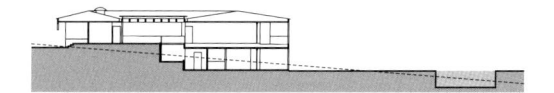

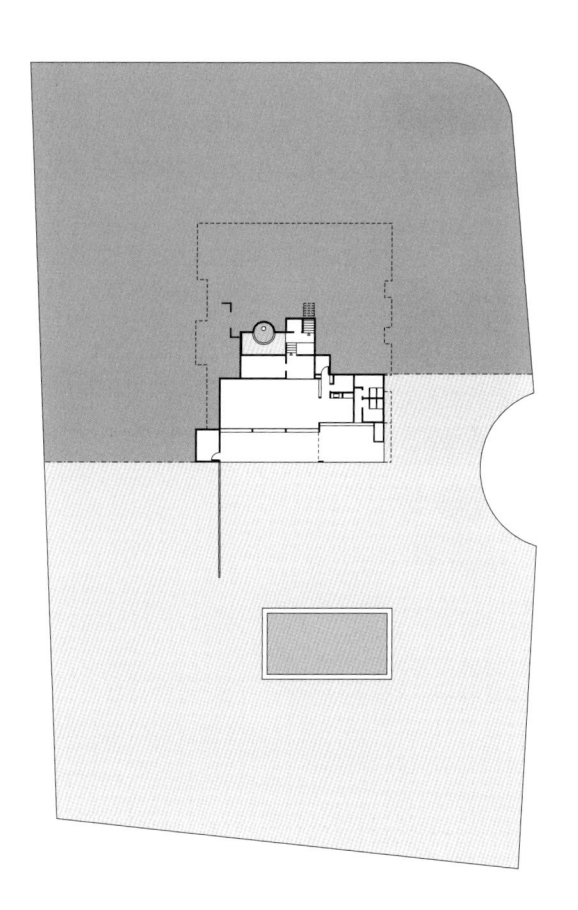

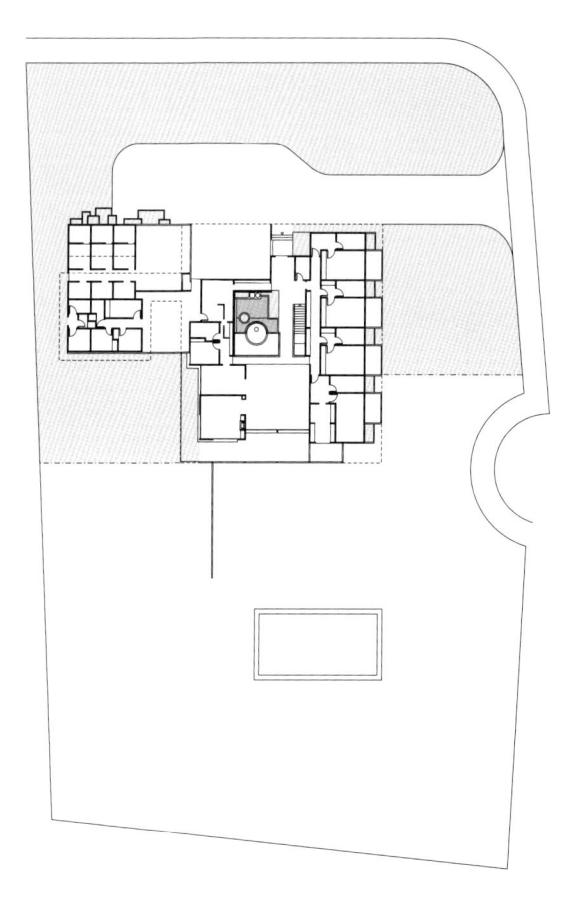

Análise de 12 residências Categorias dos diagramas de análise comparativa

**Residência
Germinal Ortiz
Garcia, São Paulo,
1957**

detalhe fachada
principal

"BEAUTIFUL is a house that fits our sense of well-being.
It requires: LIGHT, MOVEMENT, and OPENNESS.
BEAUTIFUL is a house that rests lightly and adapts to the conditions
of the surrounding terrain.
BEAUTIFUL is a house that allows one to live in communion
with the sky and treetops.
BEAUTIFUL is a house that gives light (glass walls)
instead of shadow (window jambs).
BEAUTIFUL is a house whose rooms do not allow for a LOCKED-IN feeling.
BEAUTIFUL is a house whose charm is based on a combination
of successfully achieved functions."
Sigfried Giedion, *Befreites Wohnen*. Apud Joachim Driller.

A análise das 12 residências selecionadas apontou para uma possível organização em temas dominantes e estruturadores do raciocínio projetual de Libeskind. Por se tratarem de temas recorrentes em vários momentos de sua produção para habitação unifamiliar, esta organização tem como proposta fortalecer a idéia de que existe uma linguagem presente no conjunto da sua obra. Os diagramas aqui elaborados resultam do reconhecimento das qualidades icônicas das residências e permitem ordenar, transmitir e processar as informações da forma mais sintética possível. Foram elaborados quatro tipos de diagramas referentes às quatro categorias que fundamentam a análise comparativa das obras – setorização de usos; organização geométrica e sistema de distribuição; espaços de transição; planos verticais e horizontais.

Apesar do grau de redução que apresentam, os diagramas expressam a percepção da totalidade do processo de análise e reflexão, do qual são detectadas conexões e organizações internas e externas desses projetos.

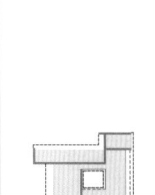

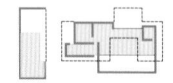

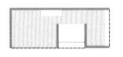

diagramas de análise

| | Ângelo Aurélio Rezende Lobo | José Felix Louza | Carmelo Larocca |

SETORIZAÇÃO DE USOS

- Setor Social
- Setor de Serviços
- Setor Íntimo
- Setor de Lazer

ORGANIZAÇÃO GEOMÉTRICA E SISTEMA DE DISTRIBUIÇÃO

- Organização Geométrica
- Vestíbulo
- Acesso Principal
- Conexões a partir do Vestíbulo

ESPAÇOS DE TRANSIÇÃO

- Espaço Descoberto
- Espaço Coberto
- Espaço Fechado

PLANOS VERTICAIS E HORIZONTAIS

- Planos Verticais Opacos
- Planos Verticais Transparentes
- Planos Verticais Vazados
- Planos Horizontais
- Projeção Plano Horizontal Superior

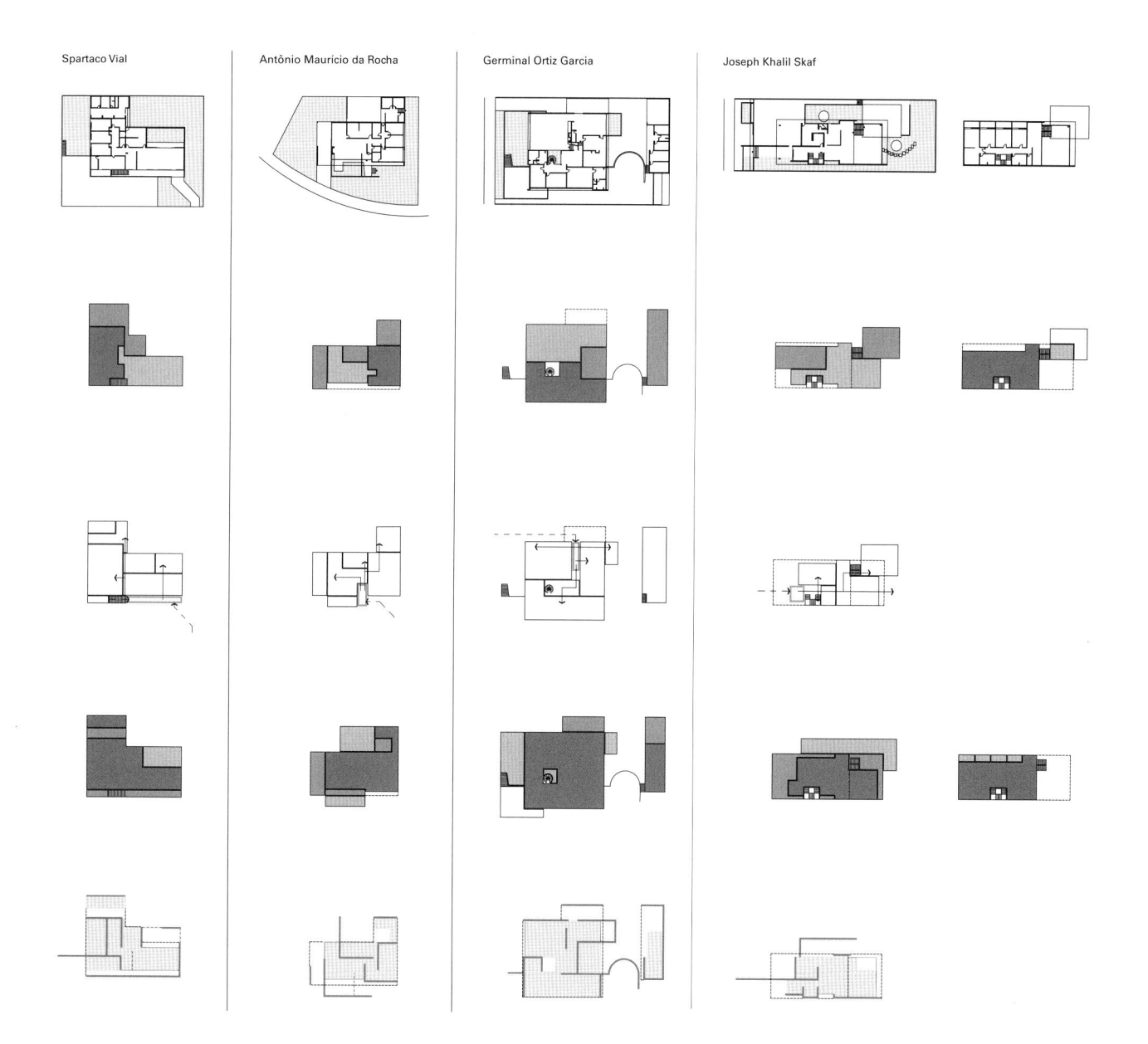

| Spartaco Vial | Antônio Maurício da Rocha | Germinal Ortiz Garcia | Joseph Khalil Skaf |

121 Capítulo 4

diagramas de análise

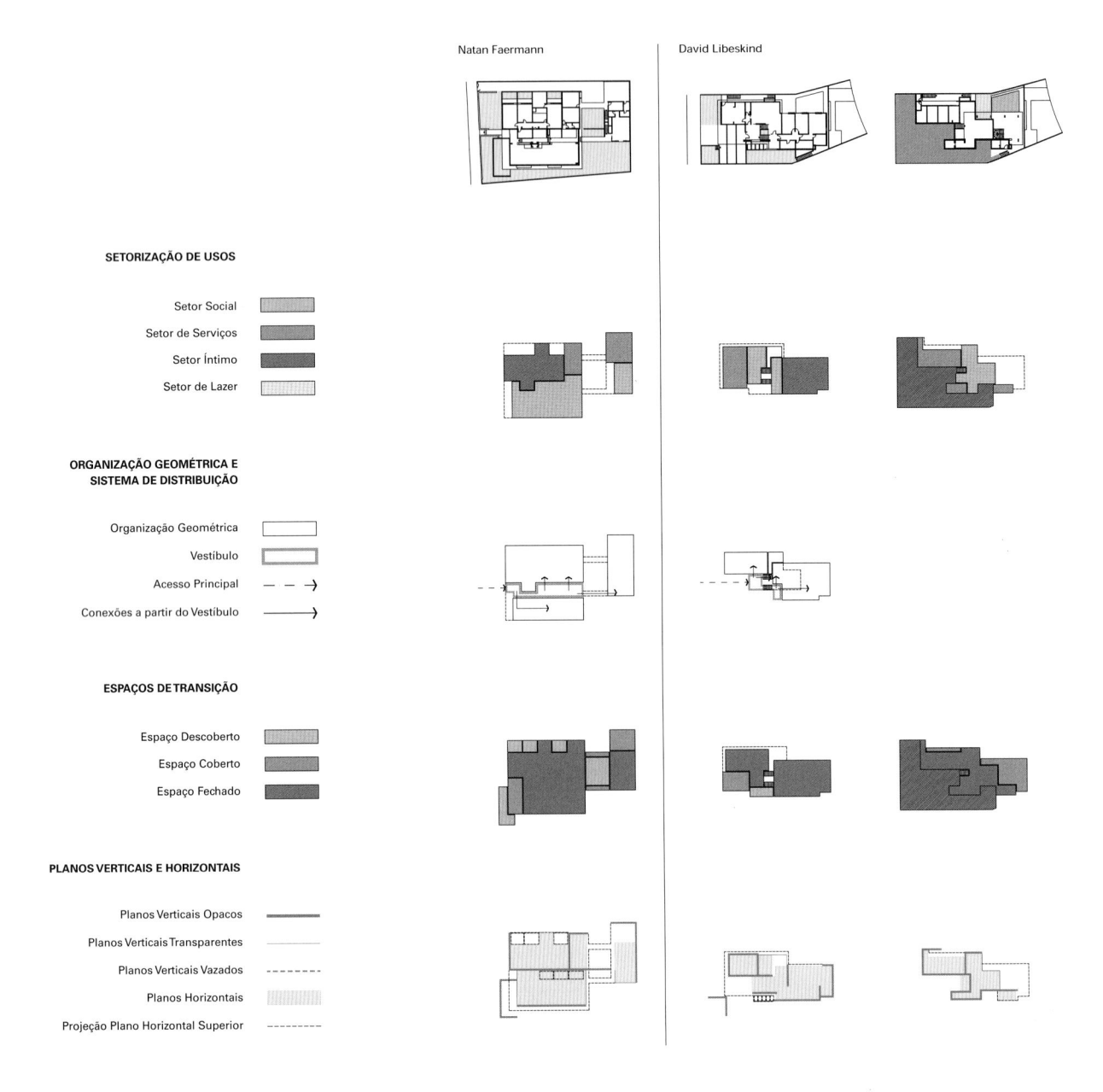

Natan Faermann | David Libeskind

SETORIZAÇÃO DE USOS

- Setor Social
- Setor de Serviços
- Setor Íntimo
- Setor de Lazer

ORGANIZAÇÃO GEOMÉTRICA E SISTEMA DE DISTRIBUIÇÃO

- Organização Geométrica
- Vestíbulo
- Acesso Principal
- Conexões a partir do Vestíbulo

ESPAÇOS DE TRANSIÇÃO

- Espaço Descoberto
- Espaço Coberto
- Espaço Fechado

PLANOS VERTICAIS E HORIZONTAIS

- Planos Verticais Opacos
- Planos Verticais Transparentes
- Planos Verticais Vazados
- Planos Horizontais
- Projeção Plano Horizontal Superior

Aron Birmann Carlos Taub Ulisses Silva

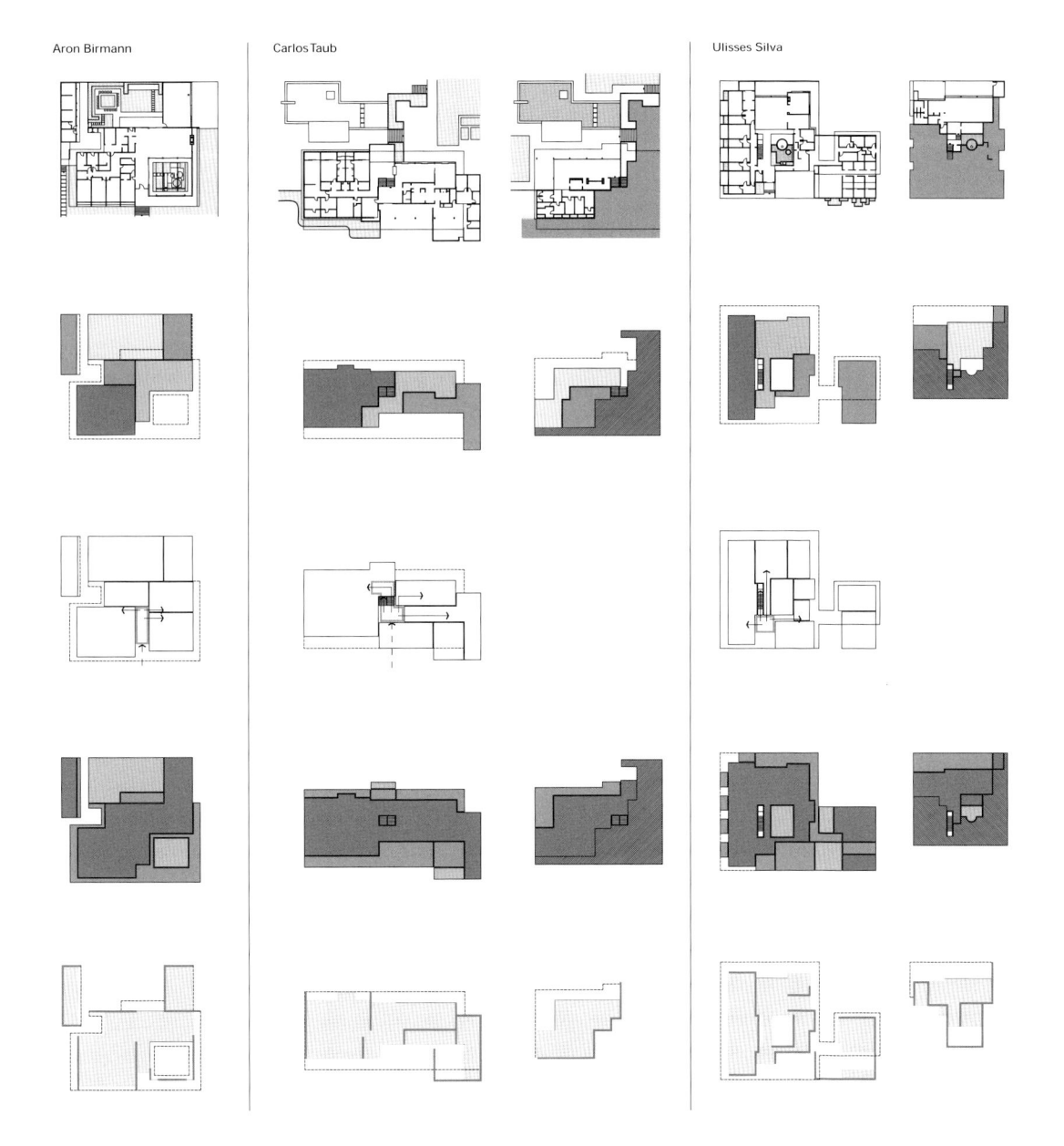

Residência
Jankief Zilberkan,
São Paulo, 1958

sala de estar
e pátios externos

Setorização de usos. "A planta é a imagem do modo de viver. As modificações no viver irão se expressar, em primeiro lugar, em uma planta modificada. É a estrutura espiritual da casa." Alfred Roth

A organização em setores é uma resposta projetual para evitar a sobreposição das funções na organização das plantas e conferir identidade a esses setores. O zoneamento das áreas internas, segundo Carlos Lemos, "procura diferenciar as circulações horizontais e verticais; separar o caminhamento da empregada, do fornecedor, do percurso nobre do proprietário; e agrupar os quartos e banheiros em zona íntima".

A partir da análise da organização do programa das casas selecionadas, verificou-se que há uma clara distribuição em setores. Dessa forma, a disposição em setores social, íntimo e de serviços é claramente identificada na leitura dos projetos das casas. Em todas as casas o setor social conecta-se aos espaços externos, com o acesso principal a partir do vestíbulo (que será adiante apresentado na organização geométrica das plantas), e se apresenta, na grande maioria, como o espaço fundamental de articulação entre os setores das casas.

Há, predominantemente, duas zonas conectadas pelo vestíbulo. Uma se destina à vida dinâmica e diária da casa, representada pelas funções de estar, alimentação, entretenimento e visitas; a outra, localizada em uma ala separada, se destina à concentração, ao trabalho e ao descanso. Geralmente aparece um pátio entre essas zonas, que está, mesmo que de forma parcial, visualmente conectado ao estar, como nas residências Germinal Ortiz Garcia e José Felix Louza.

O setor social define-se, na maioria das casas, como retângulos rigorosos em sua forma geométrica, caso das residências Ângelo Aurélio Rezende Lobo, José Felix Louza e Spartaco Vial. Porém, nas residências Joseph Khalil Skaf, David Libeskind e Carlos Taub, este setor apresenta-se de forma diferente da concepção geométrica precisa, em consequência de a distribuição dos setores destas casas acontecer em diversos níveis.

Verificou-se também uma mudança programática no setor íntimo, principalmente a partir da década de 1970, com relação à adoção das salas íntimas, das suítes e dos espaços para vestir, como por exemplo nas residências Carlos Taub e Ulisses Silva.

O setor de serviços está, na maioria das vezes, incorporado ao volume principal das casas, como nas residências Ângelo Aurélio Rezende Lobo e José Felix Louza, mas em outras, como nas residências Spartaco Vial e Natan Faermann, ocorre uma divisão dos volumes, compartimentando os serviços em uma edícula.

Ainda em algumas casas, aparece um quarto setor que passa a fazer parte das exigências programáticas dos projetos das últimas décadas – o setor de lazer. Este está, em geral, diretamente ligado aos espaços externos das casas e distribuído em um nível independente, ocupando uma área considerável. Este é o caso das residências Carlos Taub e Ulisses Silva.

Residência Carmelo Larocca, São Paulo, 1956

jardim externo

Residência Spartaco Vial, Sorocaba, 1956

sala de estar e pátio externo

Organização geométrica e sistema de distribuição. "O caráter estrutural intrínseco da arquitetura engloba uma organização geométrica, e por isso a ordenação sistemática da forma arquitetônica é igualmente geométrica." Geoffrey Baker

A análise da organização geométrica das casas selecionadas baseou-se em uma classificação usada por Geoffrey Baker em seu livro *Analisis de la forma*, onde o autor define os sistemas de distribuição arquitetônica. Dentro deste raciocínio, os sistemas classificam-se como nucleares, lineares, axiais, radiais e escalonados, conexos, ou ainda obedecem a uma distorção formal. Mas são os sistemas nucleares os de maior interesse para a análise das casas, que, segundo Baker, se subdividem em *nuclear*, *giratório*, *agrupado* e *cruciforme*. A análise proposta de organização geométrica dos projetos busca compreender a forma como a setorização está arranjada e distribuída a partir do vestíbulo, elemento ordenador dos setores das casas.

Como subsídio importante para uma melhor compreensão da organização geométrica e do sistema de distribuição nas casas de Libeskind, é importante observar o "sistema binuclear" desenvolvido por Marcel Breuer, a partir de 1945, no projeto da

**Residência
Natan Faermann,
São Paulo, 1958**

vestíbulo

Geller House I. Nesta casa em Nova York, Breuer elaborou um sistema que prescreve uma distinta separação entre as áreas sociais e íntimas. A primeira seria a "zona diurna" – composta por estar, jantar e cozinha; a segunda, a "zona noturna" – composta pelos dormitórios. O sistema binuclear também privilegiou o aparecimento de pequenos pátios ligados ao setor social e pátios de serviços dispostos entre a garagem e a área de serviços.

A diferenciação entre os setores em área de estar e área de dormir já havia sido utilizada em distintas casas modernas das primeiras décadas do século XX, desenvolvimentos naturais dos princípios de organização espacial funcionalista. As casas pátio de Mies van der Rohe, desenvolvidas nos anos 1930, são exemplares no cuidado e na sofisticação do tratamento das relações entre os espaços internos e externos, sendo estes últimos distribuídos para servir áreas de estar e dormir. Segundo Iñaki Ábalos, "o pátio se apresenta como uma expansão da casa, como representação da natureza. Não é a natureza em estado puro, mas sim uma representação artificial do mundo. Dá-se uma relação contemplativa entre o sujeito habitante desta casa e este pátio: não há lugar para a horta, ou para o cultivo de flores, para a piscina, ou para todo o conjunto de implementos com os quais o homem e a família-tipo moderna têm um contacto ativo e relacionado com o meio natural. O céu e o jardim – a natureza – aparecem como *metáfora do templo cíclico*".

Contudo, mesmo tendo clara a existência desses precedentes históricos, foi o agenciamento específico dessa setorização desenvolvida por Breuer – separação em duas unidades, ou dois *núcleos*, conectadas por uma passagem ou corredor – que mereceu ampla aceitação na arquitetura residencial nos anos 1950 e início da década subseqüente em diversos países ocidentais. No Brasil não foi diferente: influenciou toda uma geração de arquitetos modernos, dentre eles Rino Levi, Vilanova Artigas e Oswaldo Bratke. Este último – segundo Marlene Acayaba – desenvolveu um conjunto de casas a partir desta idéia, como é o caso da Casa no Jardim Guedala, de 1958.

A partir da análise das residências de David Libeskind, verificou-se que o vestíbulo cumpre a função de elemento estruturador, realizando a conexão entre as unidades, entre os setores ou mesmo entre as zonas das casas estudadas. Cumpre assim os papéis de ordenador das circulações e de filtro entre interior e exterior, variando em sua geometria e em suas características. Os diagramas propostos sintetizam essas conexões entre o vestíbulo e os setores das casas.

A identificação de um sistema nuclear com origem no vestíbulo não representa uma simplificação do raciocínio projetual de Libeskind, mas, ao contrário, identifica que a partir de uma estrutura aparentemente elementar foram desenvolvidas variações distintas e complexas de organização dos projetos.

Foram detectadas quatro variações predominantes de arranjo do vestíbulo, que possibilitam uma hierarquização entre o espaço externo (onde se dá o acesso à casa) até o espaço completamente interno da casa. Desta forma, teríamos quatro tipos de vestíbulos: *externo*, *externo/interno*, *interno* e *expandido*.

O vestíbulo externo aparece nas residências Ângelo Aurélio Rezende Lobo e Spartaco Vial. Nestas casas, este elemento é um espaço de transição e passagem e assume também características de espaço de estar, o qual se apresenta em forma de varanda que conecta o acesso externo ao setor social interno da casa.

Nas residências Antonio Maurício da Rocha e Aron Birmann, o vestíbulo tem origem no espaço externo, avançando por um espaço de transição coberto até atingir o espaço interior, onde faz a distribuição interna para os setores das casas. Caracteriza-se dessa forma o *vestíbulo externo/interno* por sua natureza de espaço de transição.

Nas residências Joseph Khalil Skaf e Germinal Ortiz Garcia, o *vestíbulo interno* se apresenta de forma compacta, como um espaço completamente incorporado às dependências internas das casas. Uma derivação desse tipo de vestíbulo é encontrada na residência Natan Faermann, onde este elemento se estende internamente por todo a casa como um único eixo, dividindo-a entre setor social, de um lado, e setor íntimo e setor de serviços, do outro.

O vestíbulo expandido – presente nas residências David Libeskind e Carlos Taub – está vinculado à extensão dos patamares dos lances de escada e caracteriza-se pela associação com a circulação da casa, fundindo-se com o estar íntimo, no caso da residência Carlos Taub, ou com o escritório, no caso da residência David Libeskind.

Residência Natan Faermann, São Paulo, 1958

sala de estar e jardim externo

**Residência
Natan Faermann,
São Paulo, 1958**

detalhe fachada
principal

Espaços de transição. "Para experimentar a arquitetura é necessário possuir a capacidade funcional de captar o espaço. Isto está determinado biologicamente. Como em todos os outros campos, é preciso acumular grande experiência antes de poder apreciar realmente o conteúdo essencial do espaço articulado. A qualidade realmente sentida da criação espacial, o equilíbrio de forças em tensão, a flutuante interpenetração de energias espaciais. Toda arquitetura – e, portanto suas partes funcionais, como sua articulação espacial – deve ser concebida como unidade. Sem esta condição, a arquitetura se converte numa simples reunião de corpos vazios, que poderá ser tecnicamente factível, mas nunca brindará a emocionante experiência do espaço articulado." László Moholy-Nagy

Os espaços de transição foram largamente explorados nos projetos de habitação unifamiliar da arquitetura moderna por vários arquitetos. Dois exemplos significativos e referenciais para Libeskind são Richard Neutra e Oswaldo Bratke. Na obra de ambos está presente o estabelecimento de uma relação específica entre arquitetura-natureza e interior-exterior, principalmente através da continuidade visual entre eles, ou seja, através da maneira como se aprisionam os espaços abertos no corpo da arquitetura. Estes espaços são elementos de projeto que apareceram com muita força na arquitetura da década de 1950, como pode ser comprovado nos exemplos já mencionados quando aqui se tratou do programa The Case Study Houses.

O espaço de transição – ou espaço intermediário – relaciona e define os lugares que articulam e conformam o programa das casas, estabelecendo um vínculo que liga o habitante à realidade física da vida exterior. O espaço de transição funciona como filtro para o clima e se constitui em elemento significativo de uma arquitetura específica para um lugar determinado, podendo ser coberto, semicoberto ou ainda totalmente descoberto.

As casas estudadas apresentam algumas características predominantes em relação ao diálogo entre o espaço interior e o espaço exterior. Uma dessas características vincula-se à ambígua identidade entre esses dois espaços, onde um está sutilmente ligado ao outro através de interpenetrações recíprocas. Isso só é possível graças à utilização de divisórias transparentes ou vazadas, como se pode observar nas residências Carmelo Larocca e Joseph Khalil Skaf. Uma variante deste espaço pode ser vista na residência Ângelo Aurélio Rezende Lobo, onde o pátio se apresenta como um lugar entre a varanda e o corpo principal da casa.

O pátio, que pode ser utilizado como um elemento de transição, em alguns casos é a única opção a permitir a passagem entre interior e exterior e, em alguns casos, sua adoção é decorrente da exigüidade do lote urbano. Em outros momentos seu uso está vinculado à proposta de voltar a casa para dentro de si mesma. Tal introspecção pode ser observada nas residências José Felix Louza, Germinal Ortiz Garcia, Ulisses Silva e Abdala Abrão, onde os pátios são espaços internos às residências.

Os recuos frontais, laterais e posteriores são, amiúde, apropriados por Libeskind como extensões dos espaços internos que foram transformados em pátios sociais. Assim, os jardins se estendem por toda a área livre do terreno, tornando-se espaço de convívio social, onde o paisagismo é um elemento fundamental. Isso ocorre em algumas casas, como é o caso das residências Antonio Maurício da Rocha, Germinal Ortiz Garcia, Natan Faermann e Aron Birman, onde os pátios estão implantados nas bordas dos volumes principais das casas.

Percebe-se também uma peculiaridade nos pátios ligados ao setor íntimo de algumas casas. Na residência José Felix Louza, por exemplo, há um único pátio contínuo e coletivo que atende a todos os dormitórios. Já no conjunto das residências Spartaco Vial, Natan Faermann, Aron Birmann e Joseph Khalil Skaf, os pátios dos dormitórios são individuais, remetendo aos pátios das celas da Cartuxa de Ema, tão importantes na obra de Le Corbusier. Segundo Stanislaus Von Moos, "em 1907, Jeanneret viaja a Florença [...]. Repetidas vezes visita a Cartuxa de Ema, de Galluzzo, nos arredores de Florença. Este mosteiro do século XIV representa um ideal de vida comunitária o qual Le Corbusier não deixará de pensar ao longo de toda sua vida. As celas dos cartuxos se encontram dispostas em três lados do claustro, comunicadas cada uma com um pequeno jardim". A acreditar nos depoimentos de Le Corbusier, estes dormitórios tiveram notável influência nos seus projetos de habitação coletiva, como os Immeubles-Villas (1922) e várias das Unités d'Habitation.

Residência Carmelo Larocca, São Paulo, 1956

sala de estar com pé-direito duplo

**Residência
Antonio Maurício
da Rocha,
São Paulo, 1957**

detalhe entrada
principal e vista
lateral

Planos verticais e horizontais. "O edifício inserido em um lugar controla os limites deste e ao mesmo tempo os limites exercem controle sobre o edifício. Para que o edifício se fortaleça exercendo sua individualidade, os limites devem ter sua própria lógica individual, apesar do domínio do edifício." Tadao Ando. *Apud* Kenneth Frampton (1984)

A arquitetura de David Libeskind nasce do arranjo entre os elementos construtivos e compositivos, permeada pela expressão plástica que está atrelada à consolidação de um vocabulário estético das décadas de 1950 e 1960.

Os planos horizontais e verticais podem ser considerados como os elementos formais de maior importância compositiva na arquitetura de Libeskind e se apresentam sempre dispostos ortogonalmente entre si – compromisso com uma idéia de arquitetura específica, onde o objeto volumétrico busca construir seu espaço e o seu lugar.

No âmbito deste trabalho, a construção do lugar diz respeito às relações do objeto arquitetônico com o seu ambiente físico e urbano, à forma de organização do território a partir das decisões de implantação das casas e dos usos propostos. Já a construção do espaço refere-se, exclusivamente, aos aspectos mais concretos que definem o artefato arquitetônico: seus limites construídos, suas dimensões e suas características formais.

Convém ressaltar que os conceitos de espaço e lugar são dotados de significados complexos de acordo com as suas especificidades. Como estão ausentes aqui as questões de teoria da arquitetura, os conceitos de espaço e lugar são utilizados como recurso taxionômico que permita a análise.

Vinculadas à construção do lugar, estão as duas estratégias básicas utilizadas por Libeskind para a ocupação do terreno. Se este é plano ou apresenta uma suave pendente, o arquiteto solta o objeto arquitetônico do chão, buscando a sensação de que a obra flutua. São marcados claramente dois planos horizontais: o plano que define o piso e o plano que define a cobertura, como acontece, por exemplo, nas residências Antonio Maurício da Rocha, Adolfo Leirner e Aron Birmann.

Observa-se com isso a reafirmação da existência do plano horizontal com a criação de uma sombra que é o registro do volume que foi descolado do chão, ressaltado por uma faixa negra. Não se trata da liberação total do térreo como quando se faz uso dos pilotis, mas de uma leve soltura do solo, que enfatiza a horizontalidade do volume.

A segunda estratégia de ocupação ocorre quando o terreno apresenta uma acentuada declividade. A relação com o terreno é reinventada e tende a recompor a morfologia e as regras que permitem ao projeto operar no território no qual está inserido. Nestes casos, Libeskind adota os planos verticais que atuam como muros de arrimo para construir um novo relevo. Os planos horizontais materializam-se em plataformas que se ajustam aos cortes do terreno, e sobre essa topografia artificial se erguerá a casa, estabelecendo um novo lugar. As residências do arquiteto, Ângelo Aurélio Rezende Lobo e Spartaco Vial se ajustam perfeitamente como exemplos.

Já a construção do espaço na arquitetura de Libeskind se dá a partir da total autonomia dos planos verticais e horizontais, que comparecem reforçando a idéia de continuidade e fluidez ou delimitando claramente esses espaços. Os planos verticais, que por essência são elementos estáticos, transformam-se em entidades espaciais onde as aberturas adquirem profundidade e modelam a luz; eles dividem, configuram, delimitam e envolvem os espaços que compõem o programa das casas. Os planos verticais transcendem, portanto, a condição de fato construído, e modelam os espaços internos e externos. Relacionam-se pelas transições, pelos encontros, por rupturas e por mudanças de direção, mantendo uma constante capacidade de autonomia. Tais efeitos podem ser vistos com clareza em todas as residências estudadas, mas se sobressaem nas residências José Felix Louza, Antonio Maurício da Rocha e Joseph Khalil Skaf.

Em alguns casos Libeskind exacerba a experiência, reconfigurando os limites visuais do lote a partir da criação de um segundo plano vertical paralelo ao muro da divisa. Em termos programáticos, o arquiteto obtém com essa decisão de projeto um quintal, um espaço de passagem ou de serviço, como acontece, por exemplo, nas residências Germinal Ortiz Garcia e Carmelo Larocca.

Residência Joseph Khalil Skaf, São Paulo, 1958
balcões

**Residência
Carmelo Larocca,
São Paulo, 1956**

acesso principal e
sala de estar

**Residência
José Felix Louza,
Goiânia, 1952**

jardim interno com
elementos vazados

Quando transparentes, estes planos são freqüentemente utilizados como filtros de transição entre os espaços internos e externos, como nas residências Spartaco Vial e Carmelo Larocca, onde também se percebe a utilização de um paralelismo entre eles. Como a transparência não é total – quase sempre comparece a composição geométrica na montagem da caixilharia, caso em especial das residências Joseph Khalil Skaf e Carlos Taub –, os grandes planos transparentes sugerem muito mais uma referência corbusiana do que uma imediata relação com os planos cristalinos de Mies van der Rohe.

Os planos horizontais também desempenham um relevante papel na construção do espaço quando comparecem como grandes coberturas. Nas residências Aron Birmann, David Libeskind, Carlos Taub e José Felix Louza, este dispositivo acentua o caráter horizontal dessas casas, efeito ainda mais acentuado na residência Joseph Khalil Skaf, onde a cobertura se projeta do interior para o exterior como plataformas, com um caráter centrífugo e expansivo, mediando as relações dos espaços de transição.

As casas são na sua maioria reduzidas à essência do volume, ao trato das suas articulações e das relações entre cheios e vazios, onde os volumes são decompostos pelos planos. Estes volumes, em alguns momentos, também sofrem subtrações, como por exemplo nas residências Natan Faermann e Joseph Khalil Skaf.

A legibilidade dos planos se dá por meio do tratamento diferenciado que recebem: nas mudanças de materiais, de texturas e de cores. É no uso dos diversos materiais e na experimentação da fusão entre eles que Libeskind realiza uma arquitetura da percepção da matéria, tornando-a expressiva e fundamental no processo de constituição da sua linguagem.

Residência Jankief Zilberkan, São Paulo, 1958

detalhe fachada principal

Existem basicamente dois tipos de materiais utilizados por Libeskind no tratamento dos planos verticais: os materiais, como as pedras e o Fulget, que possuem uma natureza mais densa e que remetem às imagens minerais, acentuando o caráter tectônico dos planos; e os materiais de revestimento, com características mais leves – como a madeira, a pastilha cerâmica, o laminado plástico e os azulejos –, que são adicionados às superfícies dos planos e aí imprimem diversas leituras.

A relação formal constante entre volumes e diferentes materiais de acabamento sugere que a linguagem arquitetônica adotada por Libeskind mantém características permanentes, mesmo supondo a evolução sofrida ao longo dos anos e das décadas. Há sempre um caráter expressivo no uso desses materiais, que são resgatados do anonimato; ao estar presente na obra, suscita um olhar renovado, pois fortalece a natureza intrínseca da matéria.

Na bela metáfora de Fernandez-Galeano, os edifícios podem ser tocados com os olhos, proporcionando um alívio inesperado nas representações que prometem texturas ao tato, que parecem transmitir a carga grave da matéria. Segundo ele, é possível apalpar com as pupilas a resistência ao atrito dos muros, a temperatura das maçanetas ou o peso das portas, tocando com o olhar a espessura da construção. É como se após a incorporação dos materiais na arquitetura, eles perdessem seu caráter inicial, sendo transformados até ao ponto de não mais serem reconhecíveis, passando a ser integrados em um novo contexto que os dota de um significado que transcende sua própria qualidade.

Conclusão

**Residência
Luciano Schwarz,
Guarujá, 1965**

perspectiva do
jardim de inverno

"Lentamente, pelo trabalho de novas gerações, de estudiosos imbuídos de exatas convicções, figuras vão saindo dos arquivos particulares, voltando a povoar, agora definitivamente, a imagem pública da arquitetura brasileira." Júlio Katinsky

O presente trabalho é tributário de pesquisa elaborada a partir das fontes primárias do acervo de David Libeskind, que gerou dissertação de mestrado defendida na FAUUSP. O trabalho de interpretação se concentrou inicialmente em localizar, organizar e compreender o universo da obra do arquiteto dentro do contexto de sua formação pessoal e acadêmica em Belo Horizonte – sobretudo sua iniciação nas artes plásticas pelas mãos de Guignard – e do período histórico onde se deu o início do seu exercício profissional no efervescente contexto cultural paulista dos anos 1950 e 1960.

O envolvimento com o universo das artes plásticas, cujo maior reconhecimento e destaque ocorreu na década de 1960, contribuiu para o desenvolvimento de uma percepção muito pessoal no uso de atributos tão comuns à arte e à arquitetura – materiais, cor, luz, pesquisa compositiva na superfície e no espaço. Estes elementos muitas vezes se fundem e estão presentes tanto em suas pinturas como em sua arquitetura. As diversas associações e inter-relações entre sua arte e sua arquitetura precisariam ser devidamente resgatadas, mas isso exigiria um novo e muito mais abrangente estudo das questões intrínsecas à história da arte. Há aqui uma consciência das limitações neste aspecto da análise, mas também é claro que ela sugere novas e futuras pesquisas, tendo como ponto de partida o resultado parcial alcançado neste trabalho.

Residência para Cidade Jardim. Exercício do 3º ano do curso de arquitetura, 1950

No momento da chegada de Libeskind a São Paulo, durante a década de 1950, o Brasil passava por um período de grandes expectativas. Os desenvolvimentos econômico, social e cultural, impulsionados principalmente pelas medidas do governo JK e por um difuso clima de otimismo, se refletiam em diversas áreas da cultura brasileira, estando a arquitetura entre elas. Vivendo um dos seus períodos mais vibrantes, São Paulo possibilitou o surgimento das Bienais, com destaque para a segunda edição, aliada às comemorações do IV Centenário da cidade. Este cenário positivo ampliou tanto as encomendas de arquitetura que permitiu ao meio profissional a absorção de dois novos contingentes de arquitetos – os arquitetos estrangeiros fugidos da guerra que se estabeleciam na cidade e os jovens arquitetos brasileiros que iniciavam suas carreiras, caso específico de Libeskind.

Em uma metrópole em franca transformação e crescimento, a habitação foi um dos temas mais freqüentes para esses profissionais desenvolverem sua produção. Somente na década de 1950, Libeskind realizou mais de 20 projetos residenciais, todos construídos, ao mesmo tempo em que projetou o Conjunto Nacional e alguns edifícios de apartamentos. Esta intensidade de encomendas perdurou durante a década de 1960, equilibrada entre casas e prédio de apartamentos, e na década de 1970, quando houve um desequilíbrio substancialmente favorável aos edifícios de apartamentos. Confirma-se em sua obra pessoal, portanto, a mudança do modelo preferencial das camadas médias e altas, que migram nesse período da residência unifamiliar para o apartamento condominial.

Há uma ênfase no estudo da produção das décadas de 1950 e 1960, época em que se concentra a maior parte das casas selecionadas para análise mais detida. As duas últimas residências selecionadas – Carlos Taub, de 1970, e Ulisses Silva, de 1983 – não pertencem a esse período, mas a opção pela inclusão desses projetos procura reiterar que, mesmo diante de mudanças evidentes em vários aspectos, nessas residências se mantém algo importante do seu raciocínio projetual. Se nessas casas tardias é possível detectar experimentações com o concreto armado – principalmente o uso plástico de sua textura e de seus recortes, como é visível nos edifícios Capitel, em Porto Alegre, e Casablanca e Marbella, em São Paulo –, demonstrando o quanto Libeskind foi suscetível aos novos ventos de renovação em curso nos anos 1970, algo semelhante pode ser dito sobre a primeira casa da série – a residência Ângelo Aurélio Rezende Lobo, de 1952 –, muito marcada pela arquitetura em voga na época, em especial aquela produzida por Oscar Niemeyer. Tais distinções no começo e fim da série apontam para o jogo eterno da arte e da arquitetura, envolto nas forças de transformação e permanência.

As referências projetuais apontadas ao longo do trabalho consistem numa apresentação panorâmica do contexto e do universo em que se deu a produção de Libeskind, não uma associação explícita com as obras referenciadas. Nesse sentido, os exemplos tomados ao programa The Case Study Houses objetivavam situar uma produção constituída sob os códigos modernos que contribuiu de forma aguda na definição de uma linguagem para a produção residencial unifamiliar dos anos 1950. Na disseminação brasileira são mais importantes os elementos compositivos resultantes do que o processo de industrialização ou da repetição em série, itens ausentes aqui, mas essenciais no programa original norte-americano.

A obra anterior de outro arquiteto paulista, Oswaldo Bratke, também influenciada pelos princípios formais das "casas californianas" – como são popularmente conhecidas –, parece confirmar essa hegemonia dos elementos formais em detrimento da padronização industrial. Segundo Hugo Segawa, algumas temáticas são reincidentes nos seus projetos residenciais dos anos 1950: a presença de pátios e exteriores ajardinados – que funcionam como conectores dos diversos cômodos das áreas sociais e íntimas; a clara setorização funcional dos ambientes domésticos; e a hegemonia formal com uso de planos e volumetrias.

Assim como na obra de Bratke, os elementos que permitem as associações entre a obra de Libeskind e as "casas californianas" são muito mais de compreensão da linguagem – como os conceitos de espaços fluidos, espaços de transição, diálogo entre os espaços interiores e exteriores, uso de diferentes materiais e o tratamento das super-

Bruno Giorgi trabalhando na cidade de Carrara na escultura *Teorema*, do Banco Crefisul

Residência Adolfo Leirner, São Paulo, 1960

fachada principal

fícies dos planos. A partir de uma interpretação própria do ideário norte-americano, Libeskind projetou casas com espaços fluidos, com interiores invadidos por uma luz transbordante e qualificados pelas texturas e pelas formas. As palavras de Marcel Breuer, citadas por Joachim Driller, podem servir de boa definição para o caráter infinito do espaço idealizado por Libeskind: "O espaço [...] nunca está completo e finito. Ele está em movimento, conectado com os próximos espaços, e com os espaços seguintes – e com o espaço infinito. Ele é materialmente definido pelo plano, ou por paredes de alvenaria e tijolo [...] pelo requadro estrutural, por um domo, ou por uma lâmina de vidro. Mas definido apenas, e não isolado [...] Nós temos uma nova experiência espacial (hoje): o espaço em movimento, o espaço fluido. E porque nós temos essa nova experiência não estamos muito mais envolvidos com o pequeno detalhe, mas com a grande unidade deste novo e maravilhoso meio: o espaço fluido que nós tentamos moldar."

O recorte programático aqui proposto – uma série de residências unifamiliares do arquiteto David Libeskind – apontou para alguns caminhos possíveis para estudá-las com maior profundidade. Dentre eles se optou pelo estudo e pela análise a partir do redesenho dos originais e da digitalização do material iconográfico, facilitada por sua excelente qualidade disponível em acervo particular do arquiteto. O contato com a documentação primária teve como ganho extra o acesso à concepção original dos projetos, sem as interferências que, muitas vezes, as obras sofrem com o passar do tempo. O redesenho foi o instrumento adotado para percorrer esses projetos, a partir e através do instrumento de representação do pensamento do arquiteto, que é o próprio desenho. A repetição do processo auxiliou a leitura da obra como um complexo inter-relacionado, tornando possível compreender como Libeskind trabalhou com o território, com os planos, com a organização geométrica das plantas, com a construção dos espaços internos e externos. Tornou possível, portanto, a compreensão dos elementos compositivos e construtivos dessa arquitetura, o que não deixa de ser um método de aproximação, aprendizagem e apreensão do raciocínio projetual de uma obra de arquitetura.

Um segundo passo foi elaborar diagramas comparativos como instrumento de compreensão das quatro categorias – setorização de usos, organização geométrica e sistema de distribuição, espaços de transição e planos verticais e horizontais –, entendidas como estruturadoras do raciocínio projetual adotado por Libeskind nos projetos residenciais. Tal proposição analítica não era acalentada pela ilusão de abarcar todas as variantes de raciocínio e características estéticas que habitam estas obras, mas visava a possibilitar a análise comparativa e a organização de um campo de idéias.

Além do redesenho, utilizado como forma preliminar de análise das residências, comparar, aproximar, distinguir e relacionar estes 12 projetos de habitação unifamiliar suscitou um olhar sobre a produção mais ampla da arquitetura brasileira sob a lente de uma pequena porção de uma obra individual.

Essa amostragem, fruto do recorte do recorte, contém de forma condensada as vicissitudes de uma época e revela as inquietudes, os dilemas, as proposições e os encaminhamentos de toda uma geração de profissionais, da qual Libeskind é um dos grandes representantes. A gestação, o desenvolvimento e a disseminação das idéias que moviam a arquitetura representativa dessa época ocorrem tendo como pano de fundo as grandes transformações modernizadoras de São Paulo e do Brasil do século XX. Na dialética entre o universal e o particular, talvez seja possível, conforme afirma Júlio Katinsky, "revelar como o arquiteto, através de seu ofício, colaborou para o aprimoramento cultural da cidade". Se a assertiva estiver correta, o trabalho presta sua colaboração no esforço coletivo atual de construção da memória da arquitetura brasileira vinculada ao Movimento Moderno, a partir da sua consolidação nos anos 1950.

Residência Germinal Ortiz Garcia, São Paulo, 1957

detalhe muro externo

Bibliografia

A coleção Olhar Arquitetônico, ao priorizar o formato ensaístico e uma leitura mais dinâmica, não utiliza o tradicional sistema de notas de rodapé. As fontes das citações literais que aparecem entre aspas ao longo dos capítulos estão identificadas nos títulos abaixo, com a referência das páginas em negrito.

Capítulo 1

Para a realização deste capítulo foram consideradas também as informações obtidas no currículo de obras de David Libeskind, além de diversos depoimentos pessoais dados pelo arquiteto à autora.

ALMEIDA, Lúcia Machado de. Exposição de Guignard em São Paulo. *AD – Arquitetura e Decoração*, São Paulo, n. 13, 1955 **[p. 27, 28]**.

ANDRADE, Mário de. Pintura em Minas – notícia sobre a Escola Municipal. *Diário de Notícias*, Rio de Janeiro, 29 out. 1944. Apud KLABIN, Vanda Mangia. *Op cit.* **[p. 27-28]**.

BARR JR., Alfred H. (Org.). *Painting and Sculpture in the Museum of Modern Art*. New York, MoMA, 1948.

BENTO, Antônio. Á margem do salão. *Diário Carioca*, Rio de Janeiro, 18 dez. 1947. As artes, p.6. **[p. 28-29]**.

BOJUNGA, Cláudio. *JK – o artista do impossível*. Rio de Janeiro, Objetiva, 2001.

CASTRO, Amílcar. *Apud* WORCMAN, Susane. O ensinar de Guignard. *In:* ZÍLIO, Carlos (Org.) *A modernidade em Guignard*. Rio de Janeiro, Petróleo Ipiranga/PUC-RJ, 1982 **[p. 29]**.

KLABIN, Vanda Mangia. Guignard e a modernidade em Minas. *In:* ZÍLIO, Carlos (Org.) *A modernidade em Guignard*. Rio de Janeiro, Petróleo Ipiranga/PUC-RJ, 1982 **[p. 26]**.

NAVA, Pedro. Evocação da Rua da Bahia – anexo I. *In:* NAVA, Pedro. *Chão de Ferro – memórias 3*. Rio de Janeiro, José Olympio, 1976.

REIDY, Affonso Eduardo. Discurso de paraninfo. *In:* BONDUKI, Nabil. *Affonso Eduardo Reidy*. Lisboa e São Paulo, Blau/Instituto Lina Bo e P. M. Bardi, 2000 **[p. 31]**.

SALGUEIRO, Heliana Angotti. O pensamento francês na fundação de Belo Horizonte: das representações às práticas. *In:* SALGUEIRO, Heliana Angotti (Org.). *Cidades capitais do século XIX*. São Paulo, Edusp, 2001 **[p. 25]**.

SILÉSIO, Mario. Depoimento, 13 set. 1982. *Apud* KLABIN, Vanda Mangia. *Op cit.* **[p. 28]**.

Capítulo 2

ACAYABA, Marlene Milan. *Branco & preto – uma história de design brasileiro nos anos 50*. São Paulo, Instituto Lina Bo e P. M. Bardi, 1994 **[p. 36]**.

ACAYABA, Marlene Milan. *Residências em São Paulo 1947-1975*. São Paulo, Projetos Editores Associados, 1986 **[p. 59]**.

ARGAN, Giulio Carlo. *Arte moderna*. 2. ed. São Paulo, Companhia das Letras, 1993 **[p. 42, 43, 44, 45]**.

ARNHEIM, Rudolf. *Arte e percepção visual*. 5. ed. São Paulo, Pioneira, 1989.

ARTIGAS, Rosa. São Paulo de Ciccillo Matarazzo. *In:* FARIAS, Agnaldo (Ed.). *Bienal de São Paulo 50 Anos – 1951-2001*. São Paulo, Fundação Bienal de São Paulo, 2001, p. 46 **[p. 47-48]**.

BERGSON, Henri. *Matéria e memória*. 2. ed. São Paulo, Martins Fontes, 1999.

BRUAND, Yves. *Arquitetura contemporânea no Brasil*. 2. ed. São Paulo, Perspectiva, 1991.

CAMARGO, Mônica Junqueira de. *Princípios de arquitetura moderna na obra de Oswaldo Bratke*. São Paulo, 2000. Tese de doutorado – Universidade de São Paulo.

CANDIA, Salvador. *Apud* ACAYABA, Marlene. *Dois arquitetos, duas experiências*. Projeto, São Paulo, n. 85, p. 73, 1986 **[p. 51]**.

CAVALCANTI, Carlos. *Dicionário brasileiro de artistas plásticos*. Rio de Janeiro, INL, 1973.

CAVALCANTI, Lauro (Org.). *Quando o Brasil era moderno*. Artes plásticas no Rio de Janeiro, 1905-1960. Rio de Janeiro, Aeroplano, 2001.

CAVALCANTI, Lauro. *Quando o Brasil era moderno*. Guia de arquitetura, 1928-1960. Rio de Janeiro, Aeroplano, 2001.

CEBALLOS, Ricardo G. (Ed.). *Espacio fluido versus espacio sistemático*. Textos i Documents D'Arquitectura. Barcelona, ETSAV/Edicions UPC, 1995.

CIRLOT, Juan Eduardo. *El arte otro* – Informalismo en la escultura y pintura más recientes. Barcelona, Seix Barral, 1957.

CIRLOT, Juan Eduardo. Informalismo. Barcelona, Omega, 1959 **[p. 43, 44, 46]**.

CIRLOT, Lourdes. *La pintura informal em Cataluña, 1951-1970*. Barcelona, Anthropos Editorial del Hombre, 1983.

COLOMINA, Beatriz. Prototipos modernos – la casa norteamericana de posguerra. *Arquitectura Viva*, Madrid, n. 60, p. 23-29, 1998.

ECO, Umberto. *Obra abierta*. Editora Areil, Barcelona, 1979 [p. 47].

DI PRETE, Danilo. Biografias. *Enciclopédia de Artes Visuais Itaú Cultural*. Disponível em: <http://www.itaucultural.com.br> **[p. 49]**.

FABRIS, Annateresa (Org.). *Modernidade e modernismo no Brasil*. Arte: Ensaios e Documentos. Mercado de Letras, Campinas, 1994.

FARIAS, Agnaldo (Ed.). *Bienal de São Paulo 50 Anos – 1951-2001*. São Paulo, Fundação Bienal de São Paulo, 2001.

HERBST, Hélio. *Promessas e conquistas: arquitetura e modernidade nas Bienais*. São Paulo, 2002. Dissertação de mestrado – Universidade de São Paulo.

HITCHCOCK, Henry-Russell. *Latin American Architecture since 1945*. New York, The Museum of Modern Art, 1955.

IACOCCA, Ângelo. *Conjunto Nacional*: a conquista da paulista. São Paulo, Origem, 1998.

JACKSON, Lesley. *Contemporary* – Architecture and Interiors of the 1950s. London, Phaidon Press, 1994.

KATINSKY, Julio. Depoimento. *In*: CONDE, Luiz Paulo; KATINSKY, Julio; PEREIRA, Miguel Alves. *Arquitetura brasileira após Brasília* – depoimentos. Rio de Janeiro, IAB/RJ, 1978 **[p. 37]**.

LEVI, Rino. Síntese das artes plásticas. *Acrópole*, São Paulo, n. 192, p. 567-569, 1954.

LIBESKIND, David. Pintura noturna. *Veja*, São Paulo, n. 167, 17 nov. 1971. Seção de Arte, p. 104. **[p. 46]**.

LIBESKIND, David. Vernissage de David Libeskind. *A Gazeta*, São Paulo, 03 nov. 1971. Caderno Variedades, p. 10 **[p. 45]**.

MARQUES, Maria da Graça O. G. *El arte matérico hoy. Materias de carga y materiales encontrados*. Madrid, 1994. Tese de doutorado – Facultad de Bellas Artes, Universidad Complutense de Madrid **[p. 45]**.

MATARAZZO, Andrea. A Bienal de Ciccilo. *In*: FARIAS, Agnaldo (Ed.). *Bienal de São Paulo 50 Anos – 1951-2001*. São Paulo, Fundação Bienal de São Paulo, 2001, p. 16 **[p. 48, 49]**.

MEYER, Regina Maria Prosperi. *Metrópole e urbanismo – São Paulo anos 50*. São Paulo, 1991. Tese de doutorado – Faculdade de Arquitetura e Urbanismo, Universidade de São Paulo **[p. 34-36, 36, 48]**.

MORAIS, Frederico. *Panorama das artes plásticas séculos XIX e XX*. 2. ed. rev. São Paulo, Itaú Cultural, 1991.

NEUTRA, Richard. *El mundo y la vivienda*. Barcelona, Gustavo Gili, 1962.

OCKMAN, Joan. *Architecture Culture 1943 1968* – a documentary anthology. 2. ed. New York, Columbia Books of Architecture/Rizzoli, 1996.

PINI, Sandra Maria Alaga. *Arquitetura comercial e contexto – um estudo de caso: o Conjunto Nacional*. São Paulo, 2000. Dissertação de mestrado – Faculdade de Arquitetura e Urbanismo, Universidade de São Paulo.

RAMÍREZ, Juan Antonio. A contrapelo. El informalismo como estilo internacional. *Arquitectura Viva*, Madrid, n. 67, p. 66-69, 1999.

SACK, Manfred. *Richard Neutra*. 2. ed. Barcelona, Gustavo Gili, 1997.

SEGAWA, Hugo. *Arquiteturas no Brasil 1900-1990*. São Paulo, Edusp, 1997.

SEGAWA, Hugo; DOURADO, Guilherme Mazza. *Oswaldo Arthur Bratke*. São Paulo, ProEditores Associados, 1997 **[p. 58]**.

STEELE, James; JENKINS David. *Pierre Koenig*. London, Phaidon Press, 1998.

THOMAS, Karin. Diccionario del arte actual. Barcelona, Labor, 1978. *Apud* CIRLOT, Lourdes. *La pintura informal en Cataluña, 1951-1970*. Barcelona, Anthropos Editorial del Hombre, 1983 **[p. 42]**.

WEAVING, Andrew; FREEDMAN Lisa. *Living Modern*. San Francisco, Chronicle Books, 2002.

WELSH, John. *Modern House*. London, Phaidon Press, 1995.

ZABALBEASCOA, Anatxu. *As casas do século*. Barcelona e Lisboa, Gustavo Gili/Blau, 1998.

ZEIN, Ruth Verde. *Arquitetura brasileira, Escola Paulista e as casas de Paulo Mendes da Rocha*. Porto Alegre, 2000. Dissertação de mestrado – Faculdade de Arquitetura e Urbanismo, Universidade Federal do Rio Grande do Sul.

Capítulo 3

ACAYABA, Marlene Milan. *Residências em São Paulo 1947-1975*. São Paulo, Projetos Editores Associados, 1986 **[p. 96]**.

ALDAY, Iñaki et alii. *Aprendiendo de todas sus casas*. Textos i Documents D'Arquitectura. Barcelona, Edicions Universitat Politécnica de Catalunya, 1996.

ARQUITETO Libeskind. *Casa e Jardim*, n. 43, jun. 1958, p. 13-21 **[p. 73, 80]**.

BAEZA, Alberto Campo. De la materialidad de la luz. *Diseño Interior*, Madrid, n. 38, 1994, p. 04-05.

BARREÑADA, Rafael Diez. *Coderch*: Variaciones sobre uma casa. Colección Arquíthesis n. 12. Barcelona, Fundación Caja de Arquitectos, 2003.

BLASER, Werner. *Patios* – 5000 años de evolución, desde la antigüedad hasta nuestros días. 2. ed. Barcelona, Gustavo Gili, 1999.

CHING, Francis. *Arquitetura:* forma, espaço e ordem. 2. reimpr. São Paulo, Martins Fontes, 1996.

COMAS, Carlos E. D.; ADRIÁ, Miquel. *La casa latinoamericana moderna* – 20 paradigmas de mediados del siglo XX. Ciudad de México, Gustavo Gili, 2003 **[p. 68-69]**.

CORNOLDI, Adriano. *La arquitectura de la vivienda unifamiliar:* Manual del espacio doméstico. Barcelona, Gustavo Gili, 1999.

CURTIS, William J. R. *La arquitectura moderna desde 1900*. Madrid, Hermann Blume, 1986.

DAL CO, Francesco. *Mario Botta* – architecture 1960-1985. New York, Electra/Rizzoli, 1987.

FICHER, Sylvia; ACAYABA, Marlene. *Arquitetura moderna brasileira*. São Paulo, Projeto, 1982.

FIGUEROA, Mario. *Habitação coletiva em São Paulo, 1928-1972*. São Paulo, 2002. Tese de doutorado - Universidade de São Paulo **[p. 110]**.

GIORGI, Bruno. Carta de Bruno Giorgi a Leontina Ribeiro. Carrara, mai. 1970. Arquivo do artista, Rio de Janeiro. Apud GRIMBERG, Piedade. *Bruno Giorgi 1905–1993*. São Paulo, Metalivros, 2001. **[p. 66]**.

GOODING, Mel. *Arte abstrata*. São Paulo, Cosac Naify, 2002.

GOODWIN, Philip. *Brazil Builds:* Architecture new and old 1652-1942. New York, Museum of Modern Art, 1943.

HEREU, Pere; MONTANER, Josep Maria; OLIVERAS, Jordi. *Textos de arquitectura de la modernidad*. Madrid, Nerea, 1994.

JORGE, Luís Antônio. *O desenho da janela*. São Paulo, Annablume, 1995.

KAPSTEIN, Glenda. *Espaços intermedios* – respuesta arquitectonica al medio ambiente. Santiago de Chile, Fundación Andes/Editorial Universitaria San Francisco, 1998.

LAMPUGNANI, Vittorio M. (Ed.). *Enciclopédia GG de la arquitectura del siglo XX*. Barcelona, Gustavo Gili, 1989.

LASEAU, Paul; TICE, James. *Frank Lloyd Wright* – between principle and form. New York, Van Nostrand Reinhold, 1992.

LEACH, Neil (Org.). *Rethinking architecture:* A reader in cultural theory. London/New York, Routledge, 1997.

LLEÓ, Blanca. *Sueño de habitar*. Colección Arquíthesis n. 3. Barcelona, Fundación Caja de Arquitectos, 1998.

LOURENÇO, Maria Cecília França. *Operários da modernidade*. São Paulo, Hucitec/Edusp, 1995.

MENDONÇA, Denise Xavier de. *Arquitetura metropolitana. São Paulo década de 50: análise de 4 edifícios. Copan; sede do* Jornal O Estado de S. Paulo; *Itália; Conjunto Nacional*. São Carlos, 1999. Dissertação de mestrado – Escola de Engenharia de São Carlos, Universidade de São Paulo.

MEYER, Regina Maria Prosperi. *Metrópole e urbanismo – São Paulo anos 50*. São Paulo, 1991. Tese de doutorado – Faculdade de Arquitetura e Urbanismo, Universidade de São Paulo.

MINDLIN, Henrique E. *Arquitetura moderna no Brasil*. Rio de Janeiro, Aeroplano, 1999.

MONTANER, Josep Maria. *Después del Movimiento Moderno:* arquitectura de la segunda mitad del siglo XX. Barcelona, Gustavo Gili, 1993.

MONTANER, Josep Maria. *La modernidad superada* – arquitectura, arte y pensamiento del siglo XX. Barcelona, Gustavo Gili, 1997.

NEUTRA, Richard. *La naturaza y la vivienda*. Barcelona, Gustavo Gili, 1970.

NORBERG-SCHULZ. Casa Schröder. *Arquitectura*, Madrid, n. 269, nov./dez. 1987 **[p. 76]**.

PINI, Sandra Maria Alaga. Documento David Libeskind: a modernidade imanente. *Arquitetura e Urbanismo – AU*, São Paulo, n. 94, 2000, p. 76-81 **[p. 115]**.

RESIDÊNCIA. *Acrópole*, São Paulo, n. 266, dez. 1960, p. 58-61 **[p. 84]**.

RESIDÊNCIA em Alto de Pinheiros. *Acrópole*, São Paulo, n. 275, out. 1961, p. 384-386 **[p. 97]**.

RESIDÊNCIA no Ibirapuera. *Acrópole*, São Paulo, n. 288, nov. 1962, p. 400-403 **[p. 96]**.

RESIDÊNCIA. *AD – Arquitetura e Decoração*, São Paulo, n. 5, maio/jun. 1954 **[p. 81]**.

RESIDÊNCIA. *Casa e Jardim*, São Paulo, n. 54, jul. 1959, p. 4-8 **[p. 89]**.

RESIDÊNCIA. *Casa e Jardim*, São Paulo, n. 92, set. 1962, p. 28-31 **[p. 88]**.

SCULLY Jr., Vincent. *Arquitetura moderna*. São Paulo, Cosac Naify, 2002.

SOUZA, Maria Adélia Aparecida. *A identidade da metrópole* – a verticalização em São Paulo. São Paulo, Hucitec/Edusp, 1994.

TAFURI, Manfredo; CO, Francesco Dal. *Modern architecture*. New York, Rizzoli, 1986.

TASSINARI, Alberto. *O espaço moderno*. São Paulo, Cosac Naify, 2001.

TELLES, Sophia. A arquitetura modernista: um espaço sem lugar. In: SEMINÁRIO NACIONAL DE ARQUITETURA, 1.,1984, Campinas. *Caderno-síntese*... Campinas, FAU PUC-Campinas, 1984, p. 26-29.

VASCONCELLOS, Sylvio de. Inquérito nacional de arquitetura. *Jornal do Brasil*, Rio de Janeiro, 25 fev., 4, 11, 18 e 25 mar. 1961. *In:* XAVIER, Alberto (Org.). *Arquitetura moderna brasileira* – depoimento de uma geração. São Paulo, Pini/Abea/FVA/Pini, 1987 **[p. 63]**.

VAZ, Maria Diva Araújo Coelho; ZÁRATE, Maria Heloisa Veloso e. A experiência moderna no cerrado goiano. *Arquitextos*, n. 67, Texto Especial 341. São Paulo, Portal Vitruvius, dez. 2006. Disponível em: <http://www.vitruvius.com.br/arquitextos/arq000/esp341.asp> **[p. 76]**.

VERDU, Vicente. Casa, Cuerpo, Sueños. *A&V – Monografias de Arquitectura y Vivienda*. Madrid, n. 12, 1987.

XAVIER, Alberto (Org.). *Arquitetura moderna brasileira* – depoimento de uma geração. São Paulo, Pini/Abea/FVA/Pini, 1987.

XAVIER, Alberto; LEMOS, Carlos; CORONA, Eduardo. *Arquitetura moderna paulistana*. São Paulo, Pini, 1983.

XAVIER, Alberto; MIZOGUCHI, Ivan. *Arquitetura moderna em Porto Alegre*. São Paulo e Porto Alegre, Pini/FAU-UFRGS, 1987.

ZABALBEASCOA, Anatxu. *La casa del arquitecto*. Barcelona, Gustavo Gili, 1995.

ZEVI, Bruno. *Saber ver arquitetura*. 4. ed. São Paulo, Martins Fontes, 1994.

Capítulo 4

ÁBALOS, Iñaki. *La buena vida* – visita guiada a las casas de la modernidad. Barcelona, Gustavo Gili, 2000 **[p. 126]**.

ACAYABA, Marlene Milan. *Residências em São Paulo 1947-1975*. São Paulo, Projetos Editores Associados, 1986 **[p. 126]**.

ANDO, Tadao. *El vocabulario del arquitecto*. Santiago de Chile, Ediciones ARQ/Escuela de Arquitectura, Pontificia Universidad Católica de Chile, 1990. *Apud* FRAMPTON, Kenneth (Org.). *Tadao Ando:* Edificio, proyectos y escritos. Barcelona, Gustavo Gili, 1985 **[p. 130]**.

BAKER, Geoffrey H. *Analisis de la forma*. México, Gustavo Gili, 1991.

BAKER, Geoffrey H. Le Corbusier. *Analisis de la forma*. 5. ed. aum. Barcelona, Gustavo Gili, 1994 **[p. 125]**.

CLARK, Roger H.; PAUSE, Michael. *Arquitectura*: temas de composición. 3. ed. Ciudad de México, Gustavo Gili, 1997.

FERNANDÉZ-GALIANO, Luis. Casas materiales [editorial]. *Arquitectura Viva*, Madrid, n. 86, 2002 **[p. 133]**.

FRAMPTON, Kenneth. *Historia crítica de la arquitectura moderna*. 4. ed. Barcelona, Gustavo Gili, 1989.

GIEDION, Sigfried (1929). Befreites Wohnen. *Apud* DRILLER, Joachim. *Breuer houses*. London, Phaidon Press, 2000 **[p. 119]**.

HARAGUCHI, Hideaki. *A comparative analysis of 20th-century houses*. London, Academy Editions, 1988.

LEMOS, Carlos. *Cozinha, etc*. 2. ed. São Paulo, Perspectiva, 1978 **[p. 124]**.

MOHOLY-NAGY, László (1929). De los materiales a la arquitectura. *In:* HEREU, Pere; MONTANER, Josep Maria; OLIVERAS, Jordi (Org.). *Textos de arquitectura de la modernidad*. Madrid, Nerea, 1994 **[p. 128]**.

MONTANER, Josep Maria. *As formas do século XX*. Barcelona, Gustavo Gili, 2002.

ROTH, Alfred (1927). *Dos casas de Le Corbusier y Pierre Jeanneret*. Colección de Arquitectura n. 31. Múrcia, Colegio Oficial de Aparejadores y Arquitectos Técnicos, 1997 **[p. 124]**.

SORIANO, Frederico. Hacia una definición de la planta profunda, de la planta anamórfica y de la planta fluctuante. *El Croquis*, Madrid, n. 81/82, 1996, p. 4-13.

VON MOOS, Stanislaus. *Le Corbusier*. Barcelona, Lumen, 1977 **[p. 129]**.

Capítulo 5

DRILLER, Joachim. *Breuer Houses*. London, Phaidon Press, 2000 **[p. 138]**.

KATINSKY, Julio. Depoimento. *In:* CONDE, Luiz Paulo; KATINSKY, Julio; PEREIRA, Miguel Alves. *Arquitetura brasileira após Brasília – depoimentos*. Rio de Janeiro, IAB/RJ, 1978 **[p. 135, 139]**.

SEGAWA, Hugo; DOURADO, Guilherme Mazza. *Oswaldo Arthur Bratke*. São Paulo, ProEditores Associados, 1997 **[p. 137]**.

Agradecimentos

A idéia da pesquisa sobre a arquitetura da habitação unifamiliar nasceu por volta de 1998, pouco tempo depois de minha graduação na Faculdade de Arquitetura da Universidade Presbiteriana Mackenzie. Tomada pelo desejo de prosseguir freqüentando o ambiente acadêmico, pleiteei uma vaga como aluna especial na FAU Maranhão, junto ao programa de pós-graduação da Faculdade de Arquitetura e Urbanismo da Universidade de São Paulo.

Após freqüentar algumas aulas, entusiasmei-me com a possibilidade de estudar as variantes compositivas nos projetos de casos paradigmáticos da arquitetura moderna mundial, tomando em particular o tema da habitação unifamiliar. Contudo, uma conversa informal com o professor Júlio Katinsky nos corredores da FAUUSP foi decisiva para o redirecionamento de minhas expectativas iniciais. Recordo-me com clareza o quanto ele me incentivou a estudar os arquitetos brasileiros e suas obras ainda não pesquisadas.

A partir de tal estímulo, montei o plano de pesquisa para ingresso no programa de mestrado em "Estruturas ambientais urbanas", mais especificamente na sub-área de concentração de pesquisa "História da arquitetura e teoria da urbanização". O título já apontava para o reposicionamento de meus interesses: *A casa do arquiteto – uma reflexão sobre o habitar*.

Fui aceita no programa de pós-graduação no ano de 2000, sob a orientação do professor Luis Antonio Jorge, e dei início à pesquisa e ao levantamento do material sobre as residências selecionadas. Tratava-se de um conjunto de aproximadamente 20 casos de habitação unifamiliar do século XX, projetos que os arquitetos brasileiros haviam realizado em sua maioria para eles mesmos habitarem.

Durante o período de visitas às obras para estudo mais apurado e coleta de material dos projetos residenciais, fui recebida em 2001 pelo arquiteto David Libeskind em seu escritório. O contato com o acervo pessoal do arquiteto – um riquíssimo material, com desenhos, fotografias, originais de projetos e publicações – me seduziu a ponto de dar nova direção à pesquisa. A partir daí, o trabalho passou a focar a obra de um arquiteto brasileiro ainda não estudado, a não ser pelo seu mais conhecido e divulgado projeto, o Conjunto Nacional. Alguns poucos anos depois, finalmente consegui atender a contento a sugestão dada pelo professor Júlio Katinsky.

Nos encontros sistemáticos com David Libeskind, que sempre me recebeu de forma cordial em sua residência no Pacaembu, foi aos poucos surgindo um rico e inusitado material, apontando para o interesse e a participação do arquiteto no universo das artes plásticas, em especial a pintura. Lembro-me de visitar seu ateliê e vislumbrar ainda em produção uma de suas mais recentes telas. Este dado agregou-se ao trabalho e foi de fundamental importância para a compreensão da linguagem integral de sua produção.

A partir daí o trabalho se estruturou sobre a pesquisa de 12 residências selecionadas do arquiteto, tendo como pano de fundo o universo de sua obra completa. O novo título, agora definitivo, tentava circunscrever com mais precisão o recorte proposto: *A obra de David Libeskind – ensaio sobre as residências unifamiliares*.

Na banca de qualificação, em 2003, foram importantíssimas as contribuições dos professores Paulo Bruna e Agnaldo Farias, que apontaram para a necessidade do aprofundamento da pesquisa, em especial para uma melhor compreensão das relações entre arte e arquitetura. Mesmo seguindo as indicações, é patente para mim que a questão foi apenas esboçada e precisa ser mais esmiuçada em futura pesquisa, necessariamente mais abrangente, sobre as especificidades abarcadas pela temática.

Compuseram a banca final de avaliação do mestrado os professores Paulo Bruna, Abilio Guerra e Luis Antonio Jorge, que recomendaram em ata a publicação da dissertação, que foi divulgada logo depois, em 2005, no III Seminário Docomomo do Estado de São Paulo. Ainda em 2004 fui contatada por Abílio Guerra, que demonstrou interesse em colaborar no desenvolvimento do trabalho, visando a sua futura publicação pela Romano Guerra Editora. Quase dois anos se seguiram, tempo necessário para a adequação da dissertação à coleção Olhar Arquitetônico, pesquisas complementares, acerto da co-edição com a Edusp e conquista de apoio editorial junto à Fapesp.

Agradeço a todos aqueles que de forma direta ou indireta contribuíram com o trabalho nas suas várias etapas. Em primeiro lugar, as pessoas que tornaram possível a realização da dissertação: Luis Antonio Jorge, grande incentivador e entusiasta do trabalho, em todo o tempo contribuindo de forma decisiva ao apontar-me o caminho a ser trilhado durante o processo, revisando pacientemente meus textos e revigorando o meu olhar sobre o mestrado; Mônica Junqueira de Camargo, que sempre foi para mim um modelo de pesquisadora e mestra; Mika Tanaka e Camila Simas, pelo auxílio prestado no levantamento inicial do acervo; Camila Stella, pela organização do material levantado, digitalização de projetos e posterior redesenho das obras; e Mario Figueroa, por seu incondicional e sempre presente esteio na elaboração de todas as etapas do trabalho e ainda pelo inestimável auxílio na configuração gráfica final da dissertação.

Em segundo lugar, agradeço às pessoas que contribuíram para a edição desse livro: Letícia de Almeida Sampaio e Eliana de Azevedo Marques, da biblioteca da FAUUSP, pela confecção da ficha catalográfica; Fernando Viégas, pelos desenhos do Conjunto Nacional; Nelson Kon, pela produção e tratamento de imagens; Adriana Gomes (biblioteca da EESC), Hugo Segawa e Alberto Xavier, por informações bibliográficas complementares; e Abilio Guerra, que acreditou no potencial do meu trabalho, abraçando a idéia da publicação.

Por fim, agradeço a David Libeskind – inicialmente um dentre tantos arquitetos brasileiros que eu estudaria, posteriormente meu objeto de estudo exclusivo –, que se tornou um grande amigo ao longo de frutíferas horas de conversas sobre arte e arquitetura. A ele a minha mais alta estima e gratidão por sua eloqüência mineira simples e gentil.

Cronologia

David Libeskind

David Libeskind nasce na cidade de Ponta Grossa, no dia 24 de novembro de 1928, filho de Marcos Libeskind e Pérola Libeskind.
Fontes principais: 1. Depoimentos pessoais de David Libeskind entre 2003 e 2007; 2. *Curriculum vitae* do arquiteto, s/d.

1929
Muda-se com a família para Belo Horizonte, MG.
1946
Cursa aulas de pintura com Alberto da Veiga Guignard, até 1947.
1947
Participa do III Salão Nacional de Belas Artes, Rio de Janeiro.
1948
Ingressa na Escola de Arquitetura da Universidade Federal de Minas Gerais, Belo Horizonte.
1949
Estagiário no escritório de Sylvio de Vasconcellos.
1951
Estagiário no escritório do arquiteto Eduardo Mendes Guimarães Júnior, até 1952 / Mantém um escritório de arquitetura em Belo Horizonte, até 1952 / Residência Ângelo Aurélio Resende Lobo, Belo Horizonte / Capa da revista *Arquitetura e Engenharia*, n. 16.
1952
Representante da Escola de Arquitetura no I Congresso Brasileiro de Estudantes de Arquitetura e Urbanismo, Salvador / I Prêmio na Exposição de Projetos do I Congresso Brasileiro de Estudantes de Arquitetura e Urbanismo, Salvador / I Prêmio da turma de formandos de arquitetura por todo o curso / Conclui a graduação na Escola de Arquitetura da Universidade Federal de Minas Gerais / Residência José Felix Louza, Goiânia.
1953
Muda-se para São Paulo / Capa da revista *AD – Arquitetura e Decoração*, n. 3 / Publicação do Posto de Puericultura Padrão para a LBA na revista *AD – Arquitetura e Decoração*, n. 2.
1954
Conjunto Nacional, São Paulo / Medalha de Prata no Salão Paulista de Belas Artes, São Paulo / Medalha de Ouro no Salão Paulista de Arte Moderna, São Paulo / Capa da revista *AD – Arquitetura e Decoração*, n. 7 / Publicação da Residência Ângelo Aurélio Rezende Lobo na revista *Habitat*, n. 18, e no jornal *Folha da Manhã*, 28 nov. / Publicação da Residência José Felix Louza na revista *AD – Arquitetura e Decoração*, n. 5 / Publicação do Conjunto Residencial Refinaria de Petróleo União na revista *AD – Arquitetura e Decoração*, n. 7 e n. 8 / Publicação do Posto de Puericultura Padrão para LBA no jornal *Diário de S. Paulo*, out.
1955
Membro do júri do XX Salão Paulista de Belas Artes, São Paulo / Capa da revista *AD – Arquitetura e Decoração*, n. 9, n. 11 e n. 14 / Capas da *Revista de Engenharia Mackenzie*, n. 124/ 125 e n. 126 / Publicação do Conjunto Nacional na revista *AD – Arquitetura e Decoração*, n. 13 / Publicação da Residência Ângelo Aurélio Rezende Lobo nas revistas *Brasil Arquitetura Contemporânea*, n. 5, e *AD – Arquitetura e Decoração*, n. 14 / Publicação da Residência Carmelo Larocca na revista *Brasil Arquitetura Contemporânea*, n. 12 / Publicação do Conjunto Nacional na *Revista de Engenharia Mackenzie*, n. 126 / Publicação do Posto de Puericultura Padrão para LBA na revista *AD – Arquitetura e Decoração*, n. 10 e n. 14 / Publicação da esidência Inácio Goldfeld nas revistas *AD – Arquitetura e Decoração*, n. 14, e *Habitat*, n. 22.
1956
Residência Carmelo Laroca, São Paulo / Residência Spartaco Vial, Sorocaba / Residência Hermínio Trujillo, Sorocaba / Curador da I Exposição Individual de Guignard em São Paulo, na sede do Instituto de Arquitetos do Brasil, São Paulo / Membro do júri do XXI Salão Paulista de Belas Artes, São Paulo / Membro do júri do V Salão Paulista de Arte Moderna, São Paulo / Capa da revista *AD – Arquitetura e Decoração*, n. 15, n. 16 e n. 17 / Capas da *Revista de Engenharia Mackenzie*, n. 127, n. 128, n. 129, n. 130 e

n. 131 / Publicação de desenhos de ilustração na *Revista de Engenharia Mackenzie*, n. 128 e n. 131 / Publicação do Conjunto Nacional em *Modern Architecture in Brazil*, de Henrique Mindlin / Publicação do Conjunto Nacional na revista *Brazilian American Survey* / Publicação do Conjunto Nacional na revista *Engineering News Record* / Publicação do Conjunto Nacional nas revistas *Brasil Moderno*, n. 5, *Brazilian Business*, vol. XXXVI, n. 7, e *Engineering News* – Record, nov. / Publicação da Residência Carmelo Larocca na revista *AD – Arquitetura e Decoração*, n. 16 / Publicação da Residência Spartaco Vial na revista *AD – Arquitetura e Decoração*, n. 17 / Publicação do Conjunto Residencial Refinaria de Petróleo União na revista *Brasil Arquitetura Contemporânea*, n. 7 / Publicação da Residência Simão Scheimberg na revista *AD – Arquitetura e Decoração*, n. 15 / Publicação da Residência Hermínio Trujillo na revista *AD – Arquitetura e Decoração*, n. 15 / Publicação da Residência Abel Pinto Monteiro na revista *AD – Arquitetura e Decoração*, n. 17.

1957

Curador da Exposição da Escola Livre de Artes Plásticas dos internados do Hospital Psiquiátrico do Juqueri, na sede do Instituto de Arquitetos do Brasil, São Paulo / Participa da Exposição Internacional de Arquitetura da IV Bienal de São Paulo, com o Conjunto Nacional (1954) e a Residência José Felix Louza (1952) / Membro do júri do XXII Salão Paulista de Belas Artes, São Paulo / Membro do júri do VI Salão Paulista de Arte Moderna, São Paulo / Capas da revista *Visão*, edições 29 mar., 26 abr., 21 jun. e 27 dez. / Capas da *Revista de Engenharia Mackenzie*, n. 132, n. 133 e n. 134 / Publicação de desenhos de ilustração na *Revista de Engenharia Mackenzie*, n. 134 / Publicação do Conjunto Nacional nas revistas *Acrópole*, n. 222, *Brasil Arquitetura Contemporânea*, n. 12, *Construcción – Ingenieria Internacional*, n. 6, *Habitat*, n. 44, *L'Architecture D'Aujourd'hui*, n. 73, e *Visão*, ago. / Publicação da Residência José Felix Louza nas revistas *L'Architecture D'Aujourd'hui*, n. 73, e *Acrópole*, n. 226 / Publicação da Residência Ângelo Aurélio Rezende Lobo na revista *Arquitectura México*, n. 58 / Publicação da Residência Carmelo Larocca na revista *Acrópole*, n. 230 / Publicação da Residência Antonio Maurício da Rocha na revista *Acrópole*, n. 220.

1958

Centro Médico Itacolomi, São Paulo / Edifício Tatuí, São Paulo / Residência Joseph Khalil Skaf, São Paulo / Residência Natan Faermann, São Paulo / Capas da revista *Visão*, edições 14 mar., 19 set., 05 dez. e 26 dez. / Capas da *Revista de Engenharia Mackenzie*, n. 135 e n. 136 / Publicação da Residência Carmelo Larocca nas revistas *Die Inne Architektur*, n. 2, *L'Architecture D'Aujourd'hui*, n. 86, e *Casa e Jardim*, n. 43 / Publicação do Conjunto Nacional na revista *Architectural Design*, n. 8 / Publicação da Residência José Felix Louza na revista *Casa e Jardim*, n. 43 / Publicação da Residência Ângelo Aurélio Rezende Lobo na revista *Casa e Jardim*, n. 43 / Publicação da Residência Spartaco Vial na revista *Acrópole*, n. 235 / Publicação da Residência Germinal Ortiz Garcia na revista *AD – Arquitetura e Decoração*, n. 18 / Publicação do Edifício à Alameda Lorena na revista *Acrópole*, n. 232.

1959

Edifício Arper, São Paulo / Membro do júri do XXIV Salão Paulista de Belas Artes, São Paulo / Participa da Exposição Internacional de Arquitetura da V Bienal de São Paulo / Capas da revista *Visão*, edições 23 jan., 19 jun., 17/07, 18 dez. e 25 dez. / Capas da *Revista de Engenharia Mackenzie*, n. 137 e n. 139 / Publicação do Conjunto Nacional nas revistas *Baukunst und Werkform*, n. 1, *Brasil Moderno*, n. 14, e *L'Architecture D'Aujourd'hui*, n. 85 / Publicação da Residência Germinal Ortiz Garcia nas revistas *L'Architecture D'Aujourd'hui*, n. 86, e *Casa e Jardim*, n. 54 / Publicação da Residência Carmelo Larocca na revista *L'Architecture D'Aujourd'hui*, n. 86.

1960

Residência Adolfo Leiner, São Paulo / Residência Jacks Rabinovich, São Paulo / Residência J.M. Domingues Perez, São Paulo / Prêmio Prefeitura de São Paulo no Salão Paulista de Belas Artes, São Paulo / I Prêmio do Salão Paulista de Arte Moderna, São Paulo / Exposição coletiva de Arquitetura Brasileira em Los Angeles / Exposição coletiva de Arquitetura Brasileira em Tóquio / Capa da revista *Visão*, edição 24 jun. / Capa dos livros *Majorie Morningstar*, de Herman Wouk, e *O mundo de Suzie Wong*, de Richard Mason / Publicação do Clube Hebraica na revista *L'Architecture d'Aujourd'hui*, n. 90 / Publicação do Conjunto Nacional na revista *Concrete Quarterly*, n. 45 / Publicação da Residência Antonio Maurício da Rocha nas revistas *Acrópole*, n. 266, e *Visão*, 23 dez. / Publicação da Residência Hermínio Trujillo na revista *Acrópole*, n. 262 / Publicação da Residência João Manuel Domingues Perez na revista *Acrópole*, n. 264 / Publicação da Residência Germinal Ortiz Garcia no jornal *O Estado de S. Paulo*, 26 jun. / Publicação da Residência Joseph Khalil Skaf no jornal *O Estado de S. Paulo*, 26 jun.

1961

Residência Regina Schetman, São Paulo / Edifício Arabá, São Paulo / Edifício Alomy, São Paulo / Residência David Libeskind, São Paulo / I Prêmio do Salão Paulista de Belas Artes, São Paulo / Capas da *Revista de Engenharia Mackenzie*, n. 140, n. 141 e n. 142 /Publicação da Residência Natan Faermann na revista *Acrópole*, n. 275 / Publicação da Residência Jankief Zilberkan na revista *Casa e Jardim*, n. 82 / Publicação do Edifício Tatuí na revista *Acrópole*, n. 271.

1962
Edifício Piauí, São Paulo / Fórum da Estância de Socorro, Socorro / Publicação Residência Natan Faermann na revista *L'Architecture D'Aujourd'hui*, n. 103 / Publicação da Residência João Manuel Domingues Perez na revista *L'Architecture D'Aujourd'Hui*, n. 103 / Publicação da Residência Ângelo Aurélio Rezende Lobo na revista *Casa e Jardim*, n. 92 / Publicação da Residência Antonio Maurício da Rocha nas revistas *Casa e Jardim*, n. 92, e *Claudia*, n. 8 / Publicação da Residência Joseph Khalil Skaf na revista *Acrópole*, n. 288 / Publicação do Edifício Arper na revista *Acrópole*, n. 282 / Publicação do Clube Hebraica na revista *Acrópole*, n. 272 / Publicação do Fórum da Estância de Socorro no jornal *O Estado de S. Paulo*, 24 mar. 1962.

1963
Grupo Escolar, Santa Cruz do Rio Pardo / Participa do XII Salão Nacional de Arte Moderna, Rio de Janeiro / Participa da VII Bienal de São Paulo, com a tela *Pintura 3* (técnica mista, 102 x 102 cm) / Publicação do Conjunto Nacional na revista *Quatro Rodas SP* / Publicação do Fórum da Estância de Socorro na revista *Acrópole*, n. 299.

1964
Agência do Banco do Brasil, São Paulo / Prêmio Isenção de Júri do XIII Salão Nacional de Arte Moderna, Rio de Janeiro / Prêmio Isenção de Júri do I Salão de Arte Moderna do Distrito Federal, Brasília / Participa do XIII Salão Paulista de Arte Moderna, São Paulo / Exposição coletiva "Arquitetos pintores" na sede do Instituto de Arquitetos do Brasil, São Paulo / Publicação do Conjunto Nacional na revista *Manchete*, mar. / Publicação da Residência Jacks Rabinovich na revista *Casa e Jardim*, n. 119 / Publicação do Grupo Escolar na revista *Acrópole*, n. 307.

1965
Membro do júri do XXX Salão Paulista de Belas Artes, São Paulo / Participa da VIII Bienal de São Paulo, com as telas *Pintura 17* (técnica mista, 120 x 120 cm), *Pintura 19* (técnica mista, 120 x 120 cm) e *Pintura 20* (técnica mista, 120 x 120 cm) / Participa do II Salão de Arte Moderna do Distrito Federal, Brasília / Participa do I Salão Esso de Artistas Jovens, no Museu de Arte Moderna, Rio de Janeiro / Membro do júri do XIV Salão Paulista de Arte Moderna, São Paulo / Publicação do Fórum da Estância de Socorro na revista *Acrópole*, n. 324.

1966
Banco Crefisul, Porto Alegre / Medalha de Prata no XV Salão Paulista de Arte Moderna, São Paulo / Mencionado em *New Architecture in the World*, de Udo Kultermann / Capa do livro *Os dispersos*, de Janette Fishenfeld.

1967
Edifício Floragê, Porto Alegre / Participa da IX Bienal de São Paulo, com as telas *Pintura A* (técnica mista, 100 x 120 cm) e *Pintura B* (técnica mista, 100 x 120 cm) / Publicação da Sede da Hebraica em *L'architettura moderna in Brasile*, de Sérgio Bracco / Publicação da Residência David Libeskind na revista *Manchete*, jul. / Publicação da Associação Israelita Brasileira na *Enciclopédia Judaica*, vol. A-D.

1969
Residência Aron Birmann, Atlântida / Publicação do Conjunto Nacional em *La arquitectura contemporânea*, de Udo Kultermann / Mencionado em verbete e texto no *Dicionário das artes plásticas no Brasil*, de Roberto Pontual / Publicação do Edifício Floragê na revista *Acrópole*, n. 363.

1970
Residência Carlos Taub, São Paulo / Publicação no *Índice de arquitetura brasileira* (FAUUSP) / Publicação da Residência Carlos Taub na revista *Acrópole*, n. 373 / Publicação da Residência Carlos Taub na revista *AC*, n. 70 / Publicação do Teatro ao ar livre. Remodelação da Praça Princesa Isabel na revista *Acrópole*, n. 318 / Publicação do Teatro ao ar livre. Remodelação da Praça Princesa Isabel na revista *Acrópole*, n. 380 e nos jornais *Diário de S. Paulo*, *O Dia*, *Notícias Populares* e *O Estado de S. Paulo*.

1971
Mostra individual de pintura na Galeria Documenta, São Paulo / Publicação do Teatro ao ar livre. Remodelação da Praça Princesa Isabel na revista *Construção em São Paulo*, n. 1212.

1972
Publicação da Residência Aron Birmann no Condomínio Terras de São José em *Ville del Brasile meridionale*, de Collona Bot.

1974
Edifício Capitel, Porto Alegre / Edifício Casablanca, São Paulo / Residência Carlos Alberto Leite Barbosa, Brasília / Residência José B. lnês, São Paulo / Membro do júri do XXXI Salão Paulista de Belas Artes, São Paulo / Verbete no *Dicionário brasileiro de artistas plásticos* vol. 2, de Carlos Cavalcanti.

1975
Exposição coletiva "Calendário da Galeria Documenta", São Paulo.

1978
Mencionado em verbete na *Enciclopédia italiana di scienze, letere ed arti*, Treccani / Mencionado em verbete em *Der Grosse Brockhaus*, vol. 2 / Publicação do Conjunto Nacional na revista *Manchete*, n. 1378.

1979
Publicação do Conjunto Nacional na revista *A Construção*, n. 1652.

1980
Edifício Marc Chagal, São Paulo / Residência Jacob Klabin Lafer, Itu / Conjunto Catamarã, Guarujá.

1982
Conjunto Hotel Village, Terras de São José Golf Club, Itu / Publicação do Conjunto Nacional na revista *Manchete*, n. 1572.

1983
Residência Ulisses Silva, Terras de São José, Itu / Residência Morton Schainberg, São Paulo /

Publicação do Conjunto Nacional em *Arquitetura moderna paulistana*, de Alberto Xavier, Carlos Lemos e Eduardo Corona / Publicação do Conjunto Nacional na revista *Veja*, mar.
1984
Participa da exposição "Tradição e ruptura – síntese da arte e cultura brasileiras", Fundação Bienal de São Paulo, São Paulo.
1985
Edifício Belas Artes, São Paulo / Edifício Itanhangua, São Paulo / Publicação de pintura em *Tradição e ruptura – síntese de arte e cultura brasileiras*, Fundação Bienal de São Paulo.
1986
Edifício Villa Bianca, Itu / Publicação da Residência Joseph Khalil Skaf em *Residências em São Paulo 1947–1975*, de Marlene Milan Acayaba / Publicação do Conjunto Nacional e da Residência Joseph Khalil Skaf no *Roteiro de arquitetura contemporânea de São Paulo*, de Eduardo Corona e Carlos Lemos, separata da revista *Acrópole*, n. 295.
1987
Edifício Santa Margeritta, Itu / Publicação do Edifício Floragê em *Arquitetura Moderna em Porto Alegre*, de Alberto Xavier e Ivan Mizoguchi.
1988
Publicação do Conjunto Nacional na revista *Veja*, nov.
1989
Publicação da maquete do Conjunto Nacional em *Zanine*, de Suely Ferreira da Silva.
1991
Publicação do Conjunto Nacional na revista *Good/Year* (especial).
1995
Publicação de móveis de Joaquim Tenreiro na Residência David Libeskind em *Móvel moderno no Brasil*, de Maria Cecília Loschiavo dos Santos.
1996
Publicação do Conjunto Nacional em *Avenida Paulista, imagens da metrópole*, de Maria Margarida Cavalcanti Limena.

1997
Publicação do projeto do Edifício Eduardo Q. Bernini em *Arquitetura moderna – São José dos Campos*, de Alexandre Penedo / Publicação do Conjunto Nacional em *São Paulo 20 Postcards*, de Luiz Cersosimo.
1998
Publicação de mobiliário na Residência David Libeskind em *Tenreiro*, de Soraia Cals / Edição monográfica sobre o Conjunto Nacional, *Conjunto Nacional – a conquista da Paulista*, de Angelo Lacocca.
1999
Publicação da Residência Ângelo Aurélio Rezende Lobo em *500 anos da casa no Brasil*, de Francisco Salvador Veríssimo / Dissertação de mestrado *Arquitetura metropolitana São Paulo década de 1950: análise de quatro edifícios – Copan; sede do Jornal O Estado de S. Paulo; Itália; Conjunto Nacional*, de Denise Xavier de Mendonça / Publicação do Conjunto Nacional em *São Paulo por dentro – Um guia panorâmico de arquitetura*, de Carlos Perrone.
2000
Dissertação de mestrado *Arquitetura comercial e contexto. Estudo de caso: Conjunto Nacional*, de Sandra Maria Alaga Pini.
2002
Tese de doutorado *Habitação coletiva em São Paulo: 1928/1972*, de Mário Arturo Figueroa Rosates / Publicação do Conjunto Nacional em *Da Antropofagia a Brasília*, organizado por Jorge Schwartz.
2003
Participa da exposição "Brasil – da antropofagia a Brasília 1920–1950", MAB – FAAP, São Paulo / Participa da exposição "Arquitetura – arte do desenho e do espaço", Galeria Nara Roesler, São Paulo / Publicação do Conjunto Nacional em *Avenida Paulista: a síntese da metrópole*, de Vito D'Alessio e Antonio Soukef / Publicação do Conjunto Nacional, desenhado pelo autor, em *São Paulo por Paulo Caruso*, de Paulo Caruso / Publicação do Conjunto Nacional, fotografado pelo autor, em *Walking*, de Rômulo Fialdini / Dissertação de mestrado *O Conjunto Nacional – a construção do espigão central*, de Fernando Viegas / Verbete da *Enciclopédia Itaú Cultural de Artes Visuais* / Trabalho de graduação interdisciplinar *David Libeskind – Pesquisa de sua obra*, de Suzana Glogowski.
2004
Dissertação de mestrado *A obra de David Libeskind – Ensaio sobre as residências unifamiliares*, de Luciana Tombi Brasil.
2005
Tombamento do Conjunto Nacional pelo Condephaat – Conselho de Defesa do Patrimônio Histórico, Arqueológico, Artístico e Turístico do Estado de São Paulo / Exposição "Morar na Metrópole", revista *Arquitetura & Construção* / Homenagem a David Libeskind no Espaço Cultural Citybank, São Paulo / Participa da exposição VI Bienal Internacional de Arquitetura – ASBEA / Dissertação de mestrado *David Libeskind e o Conjunto Nacional – Caminhos do arquiteto e a síntese do construir do arquiteto e a síntese do construir cidade*, de Claudia Virgínia Stinco.

153 Cronologia

Lista de obras

Das obras grafadas em cinza não foram encontradas durante a pesquisa nenhuma menção sobre sua construção.

David Libeskind, durante a elaboração do presente livro, constatou que dois projetos que constavam como obras construídas na dissertação que origina esse trabalho são de outros arquitetos, pois os seus projetos originais foram abandonados devido a mudança das empreiteiras responsáveis pelas obras. Os edifícios Colorama e Cap D'Antibes, nomes dos projetos referidos, constam dessa lista como obras não construídas.

1951
Residência José de Azevedo Carvalho. Belo Horizonte MG
Residência José Maria Rabello. Belo Horizonte MG
Residência Léo Barroso. Belo Horizonte MG
Edifício BH. Belo Horizonte MG
Agência bancária. Reforma. Belo Horizonte MG

1952
Residência Ângelo Aurélio Rezende Lobo. Belo Horizonte MG
Residência José Felix Louza. Goiânia GO

1953
Edifício São Miguel (Garças). Santa Cecília, São Paulo SP
Posto de Puericultura Padrão. Sorocaba SP

1954
Conjunto Nacional. Avenida Paulista, Cerqueira César, São Paulo SP
Conjunto Residencial Refinaria de Petróleo União. Capuava SP
Hospital Infantil. Sorocaba SP
Residência Simão Scheimberg. Vila Nova Conceição, São Paulo SP

1955
Agência do Banco do Brasil. Araraquara SP
Residência Inácio Goldfeld. Goiânia GO

1956
Instituto de Medicina Legal. Sorocaba SP
Residência Abel Pinto Monteiro. Tremembé, São Paulo SP
Residência Carmelo Larocca. Ibirapuera, São Paulo SP
Residência Hermínio Trujillo. Sorocaba SP
Residência Spartaco Vial. Sorocaba SP
Edifício à Alameda Lorena. Jardim Paulista, São Paulo SP

1957
Associação Israelita Brasileira – AIB. Belo Horizonte MG
Edifício Rialma. Higienópolis, São Paulo SP
Residência Antonio Maurício da Rocha. Indianópolis, São Paulo SP
Residência Germinal Ortiz Garcia. Indianópolis, São Paulo SP
Edifício Eduardo Q. Bernini. Praça Afonso Pena, São José dos Campos SP

1958
Centro Médico Itacolomi. Higienópolis, São Paulo SP
Edifício Tatuí. Jardim Paulista, São Paulo SP
Residência Jankief Zilberkan. Pacaembu, São Paulo SP
Residência José Roisemblit. Jardim das Bandeiras, São Paulo SP
Residência Joseph Khalil Skaf. Ibirapuera, São Paulo SP
Residência Moisés Waldzteijn. Pacaembu, São Paulo SP
Residência Natan Faermann. Alto de Pinheiros, São Paulo SP

1959
Edifício Arper. Higienópolis, São Paulo SP

1960
Residência Adolfo Leiner. Pacaembu, São Paulo SP
Residência Artur Snitkovsky. Jardim Paulista, São Paulo SP
Residência Jacks Rabinovich. Jardim Paulistano, São Paulo SP
Residência João Manuel Domingues Perez. Pacaembu, São Paulo SP
Residência Mario Pirondi. Vila Mariana, São Paulo SP
Residência Regina Schetman. São Paulo SP

1961

Clube Hebraica. Jardim Paulistano, São Paulo SP

Edifício Arabá. Higienópolis, São Paulo SP

Edifício Alomy. Higienópolis, São Paulo SP

Edifício Odete. Higienópolis, São Paulo SP

Residência David Libeskind. Pacaembu, São Paulo SP

1962

Edifício Jardim Buenos Aires. Higienópolis, São Paulo SP

Fórum da Estância de Socorro. Socorro SP

Unidade Sanitária Integrada (Posto de Saúde). São Caetano do Sul SP

1963

Edifício Pernambuco. Higienópolis, São Paulo SP

Edifício Floragê. Moinhos de Vento, Porto Alegre RS

Grupo Escolar. Santa Cruz do Rio Pardo SP

1964

Edifício Banco do Brasil. Santo Amaro, São Paulo SP

1965

Edifício Clelta. Consolação, São Paulo SP

Residência Luciano Swartz. Jardim Virgínia, Guarujá SP

Residência Martin Wurzmann. Morumbi, São Paulo SP

1966

Edifício Banco Crefisul. Porto Alegre RS

Residência Abdala Abrão. Goiânia GO

Residência Edmon Mario Hage. Indianópolis, São Paulo SP (demolido)

Residência Vitor Mattar. Jardim Europa, São Paulo SP

1967

Residência Carlos Vailati. Indianópolis, São Paulo SP

Residência Thomás Barth. Jardim Europa, São Paulo SP

Litografia Colibri. Cambuci, São Paulo SP

1968

Edifício Jorge A. Maluf. Jardim Paulista, São Paulo SP

1969

Residência Aron Birmann. Praia Atlântica, Porto Alegre RS

Residência Bahij Gatta's. Jardim Europa, São Paulo SP

1970

Agência Crefisul. Curitiba PR

Edifício José Marcondes Machado. Santa Cecília, São Paulo SP

Residência Carlos Taub. Morumbi, São Paulo SP

Residência Giusfredo Nardi. Butantã, São Paulo SP

Teatro ao ar livre. Remodelação da Praça Princesa Isabel. Campos Elíseos, São Paulo SP

1971

Agência Crefisul. Salvador BA

Edifício Maratauá. Higienópolis, São Paulo SP

Banco Crefisul. Reforma e decoração do 19º andar. Edifício Itália, Centro, São Paulo SP

1972

Edifício Capri. Jardim Paulista, São Paulo SP

Edifício Colorama. Bela Vista, São Paulo SP

Edifício Crefisul. Avenida Paulista 1853, Cerqueira César, São Paulo SP

Edifício Paladium. Higienópolis, São Paulo SP

Edifício Crefisul. Avenida Paulista, ao lado do Masp, São Paulo SP

Edifício San Remo. Santa Cecília, São Paulo SP

Loja na Rua da Consolação. Reforma. Edifício Zarvos, São Paulo SP

Reforma de apartamento. Higienópolis, São Paulo SP

1974

Conjunto Zogbi. Mooca, São Paulo SP

Edifício Capitel. Moinhos de Vento, Porto Alegre RS

Edifício Casablanca. Jardim Paulista, São Paulo SP

Edifício Marbella. Santa Cecília, São Paulo SP

Residência Carlos Alberto Leite Barbosa. Brasília DF

Residência José Inês. Brooklin Velho, São Paulo SP

1976

Edifício Brasília. Santa Cecília, São Paulo SP

Edifício Porto Fino. Jardim Paulista, São Paulo SP

Residência à Rua Alemanha. Alphaville 1, Barueri SP

Residência Teotônio Negrão. Praia da Baleia, São Sebastião SP

1977

Edifício Cap D'Antibes. Santa Cecília, São Paulo SP

Residência Aron Birmann. Condomínio Terras de São José, Itu SP

Residência à Alameda Bolívia. Alphaville 2, Barueri SP

Residência Reynaldo Mafei. Estrada Nova, Chácara Primavera, Salto de Itú SP

1978

Colégio do Condomínio Terras de São José, Itu SP

Residência Ricardo Rossi. Condomínio Terras de São José, Itu SP

1979

Residência à Alameda Dom Casmurro. Condomínio Terras de São José, Itu SP

Residência Fabrizio Cavazza. Condomínio Terras de São José, Itu SP

Lista de obras

Residência Pedro Moacir Fernandez da Silva. Alphaville 1, Barueri SP

1980

Edifício Marc Chagall. Jardim Paulista, São Paulo SP

Edifício Square Garden. Higienópolis, São Paulo SP

Fábrica de fios de cobre Bracel (ampliação). Lapa, São Paulo SP

Residência Jacob Klabin Lafer. Condomínio Terras de São José, Itu SP

Residência Takaoka. Alameda Pintassilgo, Aldeia da Serra, Morada dos Pássaros, São Paulo SP

1981

Centro de Compras. Assunção, Paraguai

Conjunto Catamarã. Condomínio Torres de São José, Enseada, Guarujá SP

Edifício Itacurucá. Perdizes, São Paulo SP

Residência Luciano de Luca. Condomínio Terras de São José, Itu SP

Residência para a Construtora Takaoka. Alphaville 1, Barueri SP

1982

Chalés Village. Condomínio Terras de São José, Itu SP

1983

Residência Márcio Leorati. Alphaville 3, Barueri SP

Residência Ulisses Silva. Condomínio Terras de São José, Itu SP

1984

Edifício Jatiuca. Vila Madalena, São Paulo SP

Residência Heinz R. Gallbach. Condomínio Terras de São José, Itu SP

Residência Morton Aron Scheimberg. Morumbi, São Paulo SP

1985

Edifício Belas Artes. Perdizes, São Paulo SP

Edifício Itanhanguá. Pacaembu, São Paulo SP

1986

Edifício Villa Santa Marguerita. Itu SP

1989

Edifício Villa Bianca. Itu SP

Projetos sem datação

Residência à Alameda Chile. Alphaville 2, Barueri SP

Residência à Alameda São Carlos. Alphaville 2, Barueri SP

Fontes das imagens

Acervo pessoal
David Libeskind
p. 23, 24, 26, 27, 29, 30, 31, 33, 34 (acima), 36, 37 (meio e abaixo), 41, 42, 43, 47, 48, 49, 50, 51, 52, 53, 54, 55, 58, 66, 67, 72, 73, 78, 81, 86 (acima), 107 (acima), 135, 136, 137.
Fernando Viégas
p. 38 (abaixo, esquerda e direita).

Desenhos novos
Luciana Tombi Brasil e Ivana Barossi Garcia
p. 38 (acima, direita), 60, 71, 74, 79, 83, 87, 91, 95, 99, 102, 103, 109, 113, 117, 120-121, 122-123.

Fotógrafos
Bebete Viégas
p. 100, 101, 104, 105, 106.
Boer
p. 34 (abaixo), 37 (acima).
Cleyart Fotografia
p. 44, 45.
David Libeskind
p. 25, 28, 56, 64 (direita, acima e abaixo), 65, 68, 69, 70, 75, 108, 110, 132 (abaixo).
José Moscardi
capa (residência Antonio Maurício da Rocha), p. 4-5 (residência Spartaco Vial), 10 (residência Carmelo Larocca), 12 (residência Natan Faermann), 16 (residência Regina Schetman), 20 (residência Antonio Maurício da Rocha), 35, 39, 59, 61, 63, 76, 77, 80, 82, 84, 85, 86 (abaixo), 88, 89, 90, 92, 93, 94, 96, 97, 98, 111, 112, 119, 124, 125, 126, 127, 128, 129, 130, 131, 132 (acima), 133, 138, 139, 158-159 (residência Natan Faermann).
Nelson Kon e Bruno Borovac (reproduções)
p. 38 (acima, esquerda), 40, 46, 57, 64 (esquerda, acima e abaixo), 107 (abaixo), 115 (abaixo), 116 (meio e abaixo).
Sonia Fonseca
p. 114, 115 (acima), 116 (acima).

Fichas técnicas dos projetos (capítulo 3)

Residência Ângelo Aurélio Rezende Lobo, 1952
Belo Horizonte MG
área construída: 320 m2
premiação: Pequena Medalha de Prata, Seção de Arquitetura, Salão Paulista de Belas Artes, 1954

Residência José Felix Louza, 1952
Goiânia GO
área do terreno: 625 m2
área construída: 256 m2
premiação: Pequena Medalha de Ouro, Seção de Arquitetura, Salão Paulista de Belas Artes, 1954

Residência Carmelo Larocca, 1956
São Paulo SP
área do terreno: 637 m2
área construída: 442 m2
construção: Construtora Aresta Ltda
paisagismo: José Zanine Caldas

Residência Antonio Mauricio da Rocha, 1957
São Paulo SP
área do terreno: 964 m2
área construída: 340 m2
construção: Paulo Buzolin, engenheiro civil
interiores: David Libeskind, com móveis da Loja Ambiente
premiação: Prêmio Prefeitura de São Paulo, Seção de Arquitetura, Salão Paulista de Belas Artes, 1960

Residência Germinal Ortiz Garcia, 1957
São Paulo SP
área do terreno: 1422 m2
área construída: 833 m2
construção: Faedo & Helman
paisagismo: José Zanine Caldas
premiação: 1º Prêmio Governo do Estado de São Paulo, Seção de Arquitetura, Salão de Arte Moderna, 1960

Residência Joseph Khalil Skaf, 1958
São Paulo SP
área do terreno: 1131 m2
área construída: 698 m2
construção: Construtora Libeskind & Schainberg Ltda.
interiores: David Libeskind
paisagismo: Paulo Brunner
premiação: 1º Prêmio Governo do Estado de São Paulo, Seção de Arquitetura, Salão de Arte Moderna, 1960

Residência Natan Faerman, 1958
São Paulo SP
área do terreno: 1060 m2
área construída: 637 m2
construção: Construtora Libeskind & Schainberg Ltda.

Residência David Libeskind, 1961
São Paulo SP
área do terreno: 763 m2
área construída: 569 m2
construção: Construtora Libeskind & Schainberg Ltda.
interiores: David Libeskind, com móveis de Joaquim Tenreiro

Residência Aron Birmann, 1969 [praia]
Porto Alegre RS
área do terreno: 1117 m2
área construída: 619 m2
interiores: David Libeskind, com móveis do arquiteto e de lojas de móveis modernos
paisagismo: David Libeskind

Residência Carlos Taub, 1970
Morumbi, São Paulo SP
área construída: 1024 m2
construção: Construtora Mindlin Ltda.
interiores: Jacob Ruchti
paisagismo: Roberto Burle Marx

Residência Ulisses Silva, 1983
Itu SP
área do terreno: 5663 m2
área construída: 1111 m2
construção: Engº Marcelo Libeskind
interiores: David Libeskind
paisagismo: David Libeskind